W9-BMN-525

TENNEY

TENNEY

por Kellen Hertz

American Girl®

Publicado por American Girl Publishing

17 18 19 20 21 22 23 24 LEO 12 11 10 9 8 7 6 5 4 3 2 1

Imagen de la portada por Juliana Kolesova
Imagen de la autora por Sonya Sones
Adaptación al español: Hogarth Worldwide de México

Catalogado en la Biblioteca del Congreso -en- Datos de Publicación.

Para John, que me enseñó a escuchar,
y para Kieran, que baila a su propio ritmo.

ÍNDICE

PERDIDA EN LA MÚSICA

Capítulo 1

Mi mano izquierda bajaba por el mástil de mi guitarra, oprimiendo los trastes con mis dedos para formar acordes, mientras mi mano derecha navegaba sobre las cuerdas con mi plumilla favorita. Sabía de memoria cada nota de 'Florece Abril'. No tenía que leer la partitura ni pensar en cómo tocar la canción. Sólo me dejé llevar y sentí como si la música saliera de mi corazón.

Por el rabillo del ojo vi a Papá a unos pasos de mí, agitando los brazos.

De inmediato apreté el mástil de mi guitarra, silenciándola a medio acorde. Luego noté que no escuchaba el sonido vibrante del bajo de Papá. Miré a mi alrededor, y el resto de nuestra banda tampoco estaba tocando.

—Perdón —dije sintiendo mis mejillas rojas.

—No te preocupes —dijo Papá, y me guiñó el ojo—. Sé que adoras esa canción y estabas cantando con tanto gusto que no quise detenerte.

Me sonrojé de nuevo. Cuando toco una canción que me gusta, siempre me dejo llevar, me olvido de todo y me concentro sólo en la música. 'Florece Abril' tiene una melodía lenta y taciturna que me conmueve cada vez que la tocamos en los ensayos. Y cuando canto su romántica letra, siempre pienso en qué habrá sentido la compositora cuando la escribió.

—Esa transición del coro aún no suena del todo bien —le dijo Papá a la banda—. Intentémoslo de nuevo.

Jesse, nuestra vocalista, hizo caras.

—Vamos, Ray. Es la quinta vez que practicamos el coro. Sigamos con otra canción.

Mi hermano Mason, de diecisiete años, que estaba tocando la batería, volteó los ojos. A él no le cae bien Jesse. Piensa que es arrogante porque nunca nos ayuda a desempacar el equipo en nuestros shows, y porque sólo bebe agua embotellada de Francia, a pesar de que aquí en Nashville, Tennessee, se puede beber el agua de la llave. Pero aun así, yo la admiro.

★ ★

PERDIDA EN LA MÚSICA

Jesse tiene todo lo necesario para ser la vocalista de una banda. Tiene una gran voz, le encantan las presentaciones y es la persona más feliz del mundo cuando es el centro de atención. Cada vez que la veo cantar me pregunto "¿Algún día seré así?".

—Ensayemos el coro sólo una vez más —dijo Papá con calma—. No hemos practicado desde hace tiempo y nuestro próximo show está muy cerca. Quiero estar seguro de que lo haremos bien.

Jesse hizo un puchero pero sabía que no podía negarse, porque Tri-Stars era la banda de Papá.

Era nuestra banda familiar, pero cuando Mamá renunció para abrir su propio *food truck*, Papá invitó a Jesse para que fuera nuestra vocalista. Ojalá nos presentáramos en los escenarios más grandes de Nashville; como el Auditorio Ryman o el Grand Ole Opry, pero sólo tocamos los fines de semana en presentaciones cerca de nuestro vecindario. Aunque tenemos algunos fans, si contamos a mi hermanita y a mi mejor amiga.

Jesse suspiró.

—Entonces toquémosla de nuevo —dijo.

Luego hizo el conteo y los cuatro empezamos a

tocar 'Florece Abril' otra vez.

«En abril la lluvia cayó y tu amor se llevó», cantó Jesse.

Papá y yo nos unimos, armonizando las siguientes líneas. *«En abril la lluvia cayó y mi orgullo se llevó. Perdí tu corazón en la tormenta, creí que mi muerte sería lenta».*

Jesse se apartó del micrófono y giró para verme.

—Tennyson, tu voz tiene que incorporarse más —murmuró.

Jesse siempre me dice por mi nombre completo cuando me da órdenes. Me gusta tener un nombre original, pero cuando Jesse lo dice así, se me sube el coraje a la garganta.

—Hago lo mejor que puedo —respondí.

Me gusta cantar las armonías, pero en las notas bajas mi voz pierde un poco de suavidad y adquiere un matiz áspero. Mamá dice que eso es lo especial en mi voz. Sin embargo, cuando cantas un acompañamiento, no se supone que tu voz deba sonar especial, debe sonar "invisible".

—Me estoy asando —dijo Jesse bruscamente—. Necesito un descanso.

Sin esperar la reacción de Papá, bajó del escenario y salió por la puerta principal.

Papá frunció en ceño.

—Voy a subirle al aire acondicionado —dijo mientras iba al almacén en la parte trasera de la tienda donde ensayábamos.

Suspiré frustrada. Al parecer no podíamos tener un ensayo completo sin que Jesse se molestara, y esta vez había sido mi culpa.

Mason cubrió mis hombros con su brazo.

—No dejes que Jesse te afecte —dijo—. Si no se queja por algo, no es feliz. Yo opino que cantaste muy bien. ¿No es así, Waylon?

Waylon, nuestro perro *golden retriever*, se despertó en ese momento. Le pusimos el nombre de uno de los cantantes favoritos de Papá: el "forajido" Waylon Jennings, y definitivamente le hacía honor a su nombre cuando era cachorro. Siempre rompía las reglas, se escapaba del patio trasero y mordía nuestros zapatos.

—Quizá deberíamos tocar una de tus canciones —sugirió Mason señalándome con su baqueta—. ¿Recuerdas la canción que escribiste sobre Waylon?

«Oh, Waylon¡Wayyy-lon! Es un perro dulce y calmado...» —cantó suavemente.

Yo canté la siguiente línea «*...mientras no esté libre y saltando...*»

«*¡Wayyy-lon!*» cantamos juntos y Waylon aulló.

—No creo que esta letra esté lista para cantarse en público —dije entre risas.

—¡Es una buena canción! —dijo Mason.

—Pero no es una gran canción —respondí.

Ahora tengo doce años, pero escribo canciones desde que tenía diez. 'La canción de Waylon' es la primera que compartí con mi familia. En ese entonces, estaba muy orgullosa de ella. Ahora las palabras me parecen un poco cursis.

—He mejorado desde que escribí esa — le dije.

—¿Ah, sí? Deberías cantarme algo —dijo Mason.

—Últimamente he trabajado en algunas canciones, pero ninguna de ellas está lista para que alguien más la escuche —dije dudando—. Primero debo terminar algunas letras.

—Como prefieras. ¿Quieres ayudarme con el inventario mientras esperamos a Jesse?

Siempre hacemos los ensayos de Tri-Stars en

Grant's Music and Collectibles, la tienda de música de Papá. Mis padres tienen la tienda desde que yo era pequeña, entonces es como mi segundo hogar. Mason y yo no trabajamos ahí oficialmente, pero todos ayudamos cuando podemos.

Seguí a Mason al almacén. Estaba lleno de cajas e instrumentos para reparar. Papá estaba escribiendo en una hoja de papel sobre un amplificador abollado.

—¡Wow! ¿Es un Skyrocket 3000? —exclamó Mason.

Papá asintió.

—Alguien lo trajo ayer para reciclarlo. Parece que no funciona.

—¡Genial! —dijo Mason.

—¿Lo quieres? —preguntó Papá.

Mason afirmó con entusiasmo, sus ojos se abrieron como si se hubiera ganado un coche. A mi hermano le encanta reparar equipos musicales. Nuestra cochera está llena de amplificadores y consolas a medio reparar.

—Bien, después del ensayo lo llevaremos al taller de la casa —dijo Papá.

Mason se estiró para ver por la ventana.

—No creo que volvamos a ensayar pronto —dijo—. Jesse todavía está hablando por teléfono.

Gruñí enojada.

Papá me dio un apretoncito en el hombro.

—Tenney, sé que estás emocionada por ensayar, pero Jesse tiene muchas presentaciones en solitario y está un poco estresada. Así que vamos a darle unos minutos más.

Sabía que Jesse estaba ocupada, pero era difícil ser paciente. Estuve esperando todo el día para poder ensayar con la banda. Si por mí fuera, tocaría todo el tiempo.

—No hay problema —dije después de un momento—. Iré a trabajar en mis canciones.

—Buena idea —dijo Papá enrollando mi cabello.

Me escabullí del almacén y regresé al pequeño escenario cerca de la entrada principal de la tienda. Papá dejaba que los clientes utilizaran el escenario para probar los micrófonos y los instrumentos, además funcionaba como el lugar de ensayos de los Tri-Stars. Pasé la correa de mi guitarra sobre mi hombro, ajusté el micrófono de Jesse a mi altura, y me quedé mirando la tienda vacía. Waylon se acurrucó cerca de la vieja caja registradora y me observó. Me imaginé estando en un escenario de verdad, frente a miles de personas, apunto de cantar una canción escrita por mí.

—La siguiente canción se la dedico a Waylon —dije en el micrófono.

Luego toqué los acordes de la melodía en la que estaba trabajando. Hacer una melodía era fácil para mí, pero encontrar la letra perfecta me tomaba más tiempo. Aún no había pensado en las palabras para esta canción, así que sólo tarareé la melodía mientras tocaba. La energía de la canción aumentaba y recorría mi interior, mientras llenaba el escenario vació con mi música.

La canción terminó y abrí los ojos. Vi a Waylon dormido y me reí. Jesse seguía afuera hablando por teléfono. Todo se veía igual, pero de alguna forma, me sentía diferente. Tocar siempre me hacía sentir así, pero tocar mis propias canciones y transmitirle a los demás lo que yo sentía; era mi sueño más grande.

Jesse entró y guardó su celular en su bolso.

—Listo —dijo—, ve por tu papá y por tu hermano. Vamos a terminar de ensayar.

★ ★

Dejé caer mis dedos por las seis cuerdas de la guitarra, mandando una ola de notas. "Jesse no sabe lo buena vocalista que es", pensé. Bajé del escenario de un salto y fui al almacén. "Tal vez debería pedirle permiso a Papá para tocar una de mis canciones en Tri-Stars", pensé. Pero sabía que sólo me daría la oportunidad si la canción era genial. Es decir que no podía mostrarle la canción, hasta que no estuviera perfecta.

POLLO PICANTE Y LUCES BRILLANTES

Capítulo 2

Terminamos el ensayo y nos fuimos a casa. Aubrey, mi hermana de siete años, estaba haciendo vueltas de carro en el pasto frente al *food truck* de Mamá, cuando llegamos. El *food truck* de Mamá me gusta mucho. Está pintado de azul aguamarina y las defensas son de metal brillante. A lo largo de los costados, con letras rojas, está escrito el nombre *Georgia's - Pollo Picante al estilo Tennessee.*

Mamá salió de la cochera que estaba abierta, su cabello color zanahoria estaba recogido bajo un pañuelo, y sus pecosos brazos se movían rápido mientras metía contenedores de comida en la pequeña cocina del camión. Me recordaba a un colibrí: siempre en movimiento y más fuerte de lo que parece.

—¡Por fin! —dijo Mamá mientras bajábamos de

la camioneta de Papá—. Ya nos estábamos preocupando por ustedes. ¿Qué tal estuvo el ensayo?

—Bien, aunque sólo ensayamos tres canciones —respondí.

Mamá levantó las cejas. Como ex vocalista de Tri-Stars, sabía que en una banda siempre había drama.

—¿Qué pasó? —preguntó.

—Jesse —respondió Mason—, eso pasó.

—Pero tocamos bien —intervino Papá.

Aubrey dio vueltas hasta donde estábamos, y su tutú brillante rebotó cuando aterrizó en el pasto.

—¿Cuándo podré tocar en Tri-Stars? —preguntó.

—Pronto, bebé —dijo Papá.

Aubrey hizo pucheros. En nuestra familia todos tocamos algún instrumento, pero Papá es el que decide cuándo estamos listos para tocar en la banda. Papá toca cualquier instrumento de cuerdas. Mamá canta y toca el autoarpa, Mason toca la mandolina y la batería, y Aubrey está aprendiendo a tocar el acordeón. Yo toco la guitarra desde que tenía cuatro años y empecé con el banyo el año pasado. Papá siempre dice que los miembros de la familia Grant llevamos la música en las venas.

Mamá acarició el hombro de Aubrey.

—Sigue practicando, cariño. Nadie ha ganado un premio de música Country haciendo vueltas de carro en el escenario —le dijo a Aubrey. Luego revisó su reloj y señaló con la cabeza el estuche de mi guitarra—. Mejor lleva eso adentro, Tenney. Nos vamos en diez minutos. Tenemos que estar listos a las seis.

Íbamos a llevar el *food truck* al centro de la ciudad para vender en el Centennial Park. La cantante favorita de Aubrey, Belle Starr, daría un concierto al aire libre ahí. Yo no soy muy fan, pero nunca dejo pasar la oportunidad de escuchar música en vivo.

Corrí hacia nuestra sala, que tenía una alfombra roja hecha de retazos, muebles antiguos desordenados e instrumentos musicales por todas partes. Puse mi guitarra junto a un par de guitarras de Papá y subí las escaleras hacia el cuarto que compartía con Aubrey. Sin duda es fácil adivinar qué lado le pertenece a cada quién. En el lado de Aubrey parece como si una fábrica de brillantina hubiera explotado. Mi lado es menos resplandeciente, está decorado con cosas de música. En la pared de mi cama puse viejas fotos de Patsy Cline, Joan Baez y Johnny Cash. También un vinilo de 78 RPM con una de mis canciones favoritas de Elvis Presley: 'Hound Dog', en un lindo marco. Y en un frasco de vidrio, en mi mesita de noche, está mi colección de plumillas.

Mientras me sentaba para cambiarme los zapatos, vi mi posesión más preciada: mi diario de canciones. La portada estaba decorada con rosas y capullos, y sus páginas estaban llenas de ideas de canciones, letras y dibujos. Con mi nueva melodía aún dando vueltas en mi cabeza, estuve tentada a abrir mi diario y trabajar antes de irme, pero Mamá tocó el claxon desde la entrada. Suspiré y salí enseguida. La letra de mi canción tendría que esperar.

Mamá giró en la autopista este de Nashville. Mason, Aubrey y yo íbamos detrás de Papá en los asientos abatibles del *food truck* con el cinturón abrochado. Antes de que cruzáramos el puente sobre el Río Cumberland hacia el centro, Aubrey empezó a moverse en su asiento, estaba aburrida.

—Prende el radio —suplicó—. ¿Por favorcito?

Mamá lo encendió. Un alegre ritmo electrónico llenó el camión.

Aubrey gritó.

—¡Súbele, es Belle Starr!

Ya habíamos escuchado la canción 'Una estrella como yo' un millón de veces y estaba empezando a hartarme un poco, pero cuando Mamá subió el volumen no pude evitar mover la cabeza al ritmo de la música. Aubrey se movía y cantaba el coro con Belle:

«¡Tú también puedes ser una estrella. Descubre tu talento y libre serás. Siente orgullo porque tu alma es bella. Y así tus metas lograrás».

—Es pegajosa —me dijo Papá.

Yo asentí. Era fácil entender por qué Belle y su canción eran un éxito. La melodía tenía un gancho vivaz, de los que no te puedes sacar de la cabeza. Guitarras con sonidos metálicos vibraban bajo su voz. Aunque me sonaban falsas, como si el sonido viniera de una computadora y no de instrumentos reales.

«Siente orgullo porque tu alma es bella...» Aubrey seguía el ritmo con las manos. Podía estar fuera de

tono, pero su emoción era contagiosa.

Mientras cantaba con ella, Mamá se nos unió. *«Mírate en el espejo y descubrirás. ¡Que si luchas por tus sueños, lo lograrás!»*

La voz de Mamá sonaba clara, sedosa y cálida. Cantaba cien veces mejor que Belle Starr.

¿Ya podemos quitar esa música cursi? —suplicó Mason—. ¡Ya es suficiente con tener que ir a su concierto!

Nos reímos y seguimos cantando. Mason se tapó los oídos hasta que la canción se acabó.

Mamá llevó el camión hacia la glorieta al final de La Fila de la Música. Estiré mi cuello para mirar de cerca los *bungalows* y los edificios de oficinas que alojaban algunas de los sellos discográficos y estudios de grabación más famosos en Nashville. Desde Elvis, pasando por los Beach Boys hasta LeAnn Rimes, algunos de los artistas más importantes en el mundo han grabado aquí. Mientras pasábamos, me imaginé dentro de uno de esos estudios famosos, en una cabina de grabación con los audífonos puestos, cantando una canción escrita por mí. Me estremecí por la emoción.

POLLO PICANTE Y LUCES BRILLANTES

Nos detuvimos en un semáforo frente a un edificio cuadrado que decía 'SILVER SUN', una de los sellos discográficos más famosos en la Ciudad de la Música. En nuestra familia, es más que legendario.

—¡Mamá, ahí está Silver Sun Records! —dije— Ahí grabaste tu demo ¿verdad?

Mamá apretó los labios fuerte y asintió.

—Sip—dijo rígidamente—. Hace mucho tiempo.

—¿Cómo es por dentro? —pregunté.

Había escuchado muchas veces la historia de Mamá codeándose con las estrellas, pero nunca pasaba de moda.

—Fue... memorable —dijo Mamá sin mirar el edificio. Cuando el semáforo cambió a verde, pisó el acelerador y no dijo nada más.

Poco después, llegamos al Centennial Park. A los *food trucks* se les había asignado un lugar cruzando el prado donde estaba al escenario en el que se presentaría Belle Starr. En cuanto mamá se estacionó en nuestro lugar, comenzamos a poner todo. Mason y Papá sacaron las bebidas y las guarniciones, mientras Mamá calentaba la estufa y la freidora para cocinar el pollo. Mamá prepara por sí sola todo lo que vende en el *food truck*, pero su especialidad es el pollo al estilo Nashville; picante y frito, servido sobre una rebanada de pan blanco con pepinillos. Mamá también usa miel silvestre, para que su pollo sepa a pedacitos de cielo dulces y crujientes, condimentados con pimienta.

Mientras ponía el pizarrón con el menú, observé el escenario de Belle Starr. Lo habían construido frente a las enormes columnas blancas del Partenón, una replica del templo de la antigua Grecia. El lugar estaba lleno de gente que había llegado temprano para encontrar un buen lugar y ver el concierto.

"Todos están aquí para ver a Belle Starr", pensé. "¿Se pondrá nerviosa al cantar frente a tanta gente?"

—Tenney —me llamó Mamá, interrumpiendo mis pensamientos— ¿Puedes ayudar a Aubrey con los utensilios? Los clientes llegarán en cualquier momento.

Efectivamente, tan pronto Aubrey y yo terminamos de sacar los tenedores y las servilletas, los hambrientos asistentes al concierto comenzaron a aglomerarse frente a los *food trucks*.

Papá tocó una melodía rápida con su guitarra, para llamar la atención, «*¡Pollo Picante Georgia's!*

¡Vengan rápido antes de que no queden ni sobras! —cantó rasgando la voz. Me uní a la canción de Papá mientras Aubrey bailaba haciendo manos de jazz. No éramos geniales, pero la gente volteaba a vernos. Pronto tuvimos una fila de clientes esperando para comprar la comida de Mamá.

Durante la siguiente hora, trabajamos duro para que la fila de clientes siguiera avanzando. En cuanto oscureció, se encendieron las brillantes luces del escenario del Partenón y sonaron unos *riffs* de guitarra eléctrica. Sólo pude ver a Belle Starr por medio segundo antes de que el público se levantara y me tapara.

—¡Hola, Nashville! —dijo Belle Starr frente al micrófono. El público gritó.

—¡Quiero ver! —lloriqueó Aubrey.

Papá la subió a sus hombros mientras la banda comenzaba a tocar 'Una estrella como yo'.

Mamá veía desde el camión, mientras se limpiaba las manos con el delantal.

—Lamento que no alcances a ver bien —me dijo.

—No hay problema —respondí.

No me importaba no alcanzar a ver bien. Me

hacía feliz el tan sólo estar en el concierto, el aire estaba lleno de emoción. Creo que la música en vivo hace que todo sea más brillante. Miré al cielo y parecía como si las estrellas estuvieran bailando.

Cuando Belle Starr terminó su canción, el público estalló en aplausos.

—Wow... el público la adora —exclamé.

Mamá asintió, pero no dijo nada.

—¿Extrañas cantar? —le pregunté.

Encogió los hombros.

—A veces —respondió.

Mientras Belle Starr cantaba su siguiente éxito, tuve que gritar para que Mamá me escuchara entre los gritos de la gente.

—Me pregunto si algún día podré tocar mi música para tanta gente —le dije.

—Haz de la música tu primer amor —contestó Mamá— Lo demás se arreglará solo.

"Espero que tenga razón. Porque hacer música es lo que quiero hacer toda mi vida", pensé.

LA KERMÉS

Capítulo 3

El lunes por la mañana Papá me llevó a la escuela. En septiembre había empezado la secundaria en la escuela Magnolia Hills. Era más grande que mi escuela primaria, y a pesar de que ya llevábamos un mes de clases, todavía no terminaba de conocer todo. Afortunadamente, mi mejor amiga, Jaya Mitra, está en mi salón, así que nunca me siento completamente perdida. Llegué a clase y encontré a Jaya dibujando sentada en su escritorio, que está en la primera fila. Llevaba *pants* de color verde brillante, una sudadera roja y broches de arcoíris en su cabello negro y rizado. Cuando me vio, sus ojos se iluminaron.

—¡Mira! —dijo, levantando su carpeta. Había escrito nuestros nombres con una elegante letra hecha a mano— Es mi nueva fuente.

—¡Wow, es hermosa! —dije mientras me sentaba

en mi escritorio, detrás de ella.

—¿Recibiste mi mensaje ayer? —preguntó— Te envié un video de un cerdito besando a un cachorro.

—Si, ¡estaba lindo! —dije recordando— Perdón por no contestarte.

—Está bien —dijo Jaya—. Creí que te serviría ver algo divertido antes del ensayo con Tri-Stars y Jesse. ¿Cómo te fue?

—Bien —dije con un suspiro. Antes de que pudiera decirle otra cosa, la campana sonó indicando el comienzo de las clases. Nuestra maestra, Miss Carter, recogió los permisos para nuestra próxima excursión.

—Sé que la mayoría de ustedes ya han estado en el Auditorio Ryman —nos dijo—, pero les aseguro que esta excursión hará que la historia musical de Nashville cobre vida. Es la forma perfecta para que todos se animen y participen este año en la kermés de Magnolia Hills.

La emoción recorrió la habitación. La kermés es el carnaval otoño de nuestra escuela. Cada año, los estudiantes planean juegos, hacen comida y tocan música en vivo para celebrar el otoño. También es un gran evento para el vecindario. Mi familia ha asistido muchas veces y siempre me ha gustado. Me emocionaba mucho pensar que este año iba a ayudar ¡a organizarla!

Miss Carter sonrió.

—Y ahora que estamos hablando de la kermés, tengo emocionantes noticias: Normalmente, el dinero que recaudamos va a una organización benéfica local —dijo—, pero este año, haremos algo diferente. Nos asociaremos con el Asilo de Ancianos Lillian Street para organizar el evento. Pero no sólo eso, la kermés la llevaremos a cabo en el asilo.

Mis compañeros murmuraron sorprendidos. Miss Carter ni siquiera parpadeó.

—Dos alumnos de esta clase serán los representantes del Comité Directivo de la kermés con otros representantes de los demás salones —dijo—. Propondremos ideas para la comida y los puestos. El comité también trabajará con los ancianos del asilo para ayudarlos a involucrarse. Esta es una oportunidad para todos ustedes, podrán conectarse con los miembros de su comunidad. Tendrán que dedicar un poco de tiempo después de clases —añadió—, pero les prometo que valdrá la pena. ¿Algún voluntario?

Jaya levantó la mano.

—Vamos, Tenney —susurró.

"Será divertido trabajar en la kermés, especialmente con Jaya", pensé. Entonces levanté la mano.

Miss Carter observó las manos levantadas y se detuvo en la primera fila.

—Tenney y Jaya, gracias por ofrecerse —dijo Miss Carter—. Nos vemos hoy en el recreo.

Los catorce niños del comité de la kermés estaban formando un círculo para la reunión, cuando Jaya y yo regresamos de la cafetería con nuestro *lunch*. De inmediato vi a Holliday Hayes y sentí una punzada en el estómago. Su diadema de tela escocesa combinaba perfectamente con su estuche y sus tenis de bota, como siempre. En quinto, Holliday y yo estuvimos en el mismo salón. Siempre fue amable conmigo, pero no puedo decir que éramos amigas. Parecía estar más interesada en tener la razón que en hacer amigos.

Mientras comíamos nuestros sándwiches, Miss Carter inició la reunión.

—Este año, el tema de la kermés es 'hospitalidad sureña' —dijo—. ¿Alguien tiene alguna idea de la comida que podemos servir?

Comenzaron a llover ideas, y acordamos tener un puesto donde se sirvieran diferentes sabores de té dulce y otro en donde los asistentes pudieran decorar su propio *cupcake*.

—Mi mamá prepara pralinés frescos —dijo una niña— puede tener un puesto.

—¡Buena idea! —dijo Holliday— Mi papá se puede encargar del pollo picante.

—La mamá de Tenney también hace pollo picante —dijo Jaya—. Y tiene su propio *food truck*.

—Es muy buena —dije tratando de no sonar presumida.

—Estoy segura de que así es, pero mi papá dijo que pagaría para que un cocinero de Bolton's viniera —dijo Holliday.

Todos quedaron impresionados. El restaurante Bolton's prepara el pollo picante más famoso de Nashville.

—Eso suena costoso —dijo Miss Carter.

—No hay problema —contestó Holliday— mi papá de verdad quiere hacerlo.

—Bueno, si tu padre insiste —dijo Miss Carter.

Una sonrisa de satisfacción apareció en el rostro de Holliday. No pude evitar sentirme un poco decepcionada. Pero pensé que probablemente Mamá preferiría asistir a la kermés que trabajar en ella.

—Ahora pasemos a las actividades —dijo Miss Carter—. Queremos que tanto ustedes como los abuelitos del asilo hagan presentaciones ese día, así que si alguno de ustedes baila o toca un instrumento, por favor inscríbase.

La emoción apareció en mi interior. "¡Esta será mi oportunidad para tocar mis canciones!", pensé.

La voz de Holliday interrumpió mi fantasía.

—Mi papá es vicepresidente de Silver Sun Records —dijo—. Es la discográfica de Belle Starr. Puedo preguntarle si ella está disponible.

Ahora todos estaban realmente emocionados.

—¿Puedes hacer que Belle Starr venga? —exclamó un niño.

Miss Carter interrumpió.

—En realidad, Holliday, la kermés es para que se presenten los músicos de la comunidad del este de Nashville.

Holliday encogió los hombros.

—Después del recreo pondré una hoja en la puerta de mi salón para que se inscriban los artistas —Miss Carter nos miró a todos y continuó—. No olviden que los lugares se llenan rápido y siempre tenemos mucho público.

—¡Tienes que inscribirte! —me susurró Jaya.

Sonreí un poco. Pero el hecho de presentarme para casi toda la escuela hacía que mi estómago diera vueltas.

—Ahora —añadió Miss Carter—, este comité necesita un presidente. ¿Quién quiere postularse?

Jaya y Holliday levantaron la mano. Miss Carter les pidió que nos dijeran por qué querían ser presidentas y después votaríamos por alguna. Jaya habló primero.

—Para mí es muy importante mejorar nuestra comunidad, y pienso que trabajar con el asilo es una gran forma de compartir con nuestros vecinos —dijo Jaya—. Me encanta trabajar en equipo y que juntos podamos tener buenas ideas. Creo que esa es la mejor forma de enfrentar los retos.

Miss Carter sonrió.

—Muy bien, Jaya. Ahora, Holliday. Dinos por qué serías una buena presidenta.

Holliday se puse de pie.

—Quiero ser la presidenta porque tengo muy buenas ideas —dijo—. Soy buena tomando decisiones y supervisando que todos hagan su trabajo. Además, si me eligen, prometo que esta kermés tendrá más *cupcakes* que cualquier otra kermés en la historia de la escuela.

—¡Wow! —dijo Miss Carter— ¡Ese es un reto difícil! Muchas gracias a las dos.

Pusimos la cabeza sobre el escritorio y levantamos la mano para votar. Obviamente yo voté por Jaya.

—¡Ya conté los votos! —anunció Miss Carter—. La presidenta de sexto es... ¡Holliday Hayes!

Holliday se levantó y sonrió.

—Gracias a todos por tomar la decisión correcta.

Miré a Jaya, que sonreía con valentía mientras felicitaba a Holliday, pero tenía la mirada triste. Mientras tirábamos la basura de nuestro *lunch*, me di cuenta de que estaba molesta.

—Debí decir algo sobre los *cupcakes* —dijo.

Traté de pensar en algo que la animara.

—Bueno, de todas formas vamos a divertirnos preparando la kermés —le dije— Tal vez puedas ofrecerte para hacer los pósteres.

Jaya se animó.

—Buena idea —dijo— ¿Te vas a inscribir para tocar?

—Tal vez —dije—. Sólo he tocado con Tri-Stars, nunca me he presentado sola. ¿Qué tal si lo echo a perder?

—¡No lo harás! —dijo Jaya, dándome un apretón— Eres una gran cantante. Además, todavía faltan seis semanas para la kermés.

—Tendría tiempo para practicar —admití.

—Exacto. Apuesto a que si quisieras hasta podrías escribir una nueva canción.

Tal vez Jaya tenía razón. La nueva canción en la que estaba trabajando tenía una melodía realmente buena. Si pudiera escribir

la letra, sería una canción increíble. ¡Podría presentarme sola en un escenario como cantautora! Mi corazón latió fuerte. Sonreí emocionada hasta que apareció un pensamiento aterrador. "¿Que tal si me presento y a nadie le gustan mis canciones?".

Decidí que me tomaría un tiempo para pensarlo.

ASILO DE ANCIANOS LILLIAN STREET

Capítulo 4

El jueves, por primera vez, los del comité de la kermés visitamos el Asilo Lillian Street. Mientras el director del asilo nos mostraba las instalaciones, señaló a través de una ventana un gran patio con prado verde y árboles.

—Ahí construiremos el escenario —dijo—. Y pondremos los puestos de comida y artesanías alrededor.

—También tenemos que poner luces —dijo Holliday Hayes.

—¡Buena idea! —intervino Miss Carter— Nos encargaremos de los detalles después. Ahora es momento de reunirnos con los abuelitos del asilo.

El director del asilo sonrió y asintió.

—Hacer la kermés aquí ayudará a que los

adultos mayores se involucren con la comunidad —dijo—. Están muy emocionados por este evento.

—Cada uno de ustedes debe hacer equipo con uno de los abuelitos —dijo Miss Carter—. Tómense su tiempo para conocerlos y después pregúntenles cómo les gustaría participar en la kermés. Lo ideal es que sean equipo también en el evento.

Entramos al salón principal, y vimos a los abuelitos sentados en los sillones. Leían, platicaban y jugaban juegos de mesa. Al principio todos estábamos nerviosos.

De pronto me sentí un poco tímida.

"¿Qué podría tener en común con alguien de la edad de mi abuela?"

—¡Vamos, chicos! —dijo Miss Carter.

Inmediatamente, Jaya dio un paso adelante y se acercó a un hombre que usaba tirantes de arcoíris. Siguiendo su ejemplo, los demás nos separamos por todo el salón. Holliday caminó hasta donde estaba una señora con un conjunto rosa que combinaba con su labial. Comencé a caminar hacia un señor con mirada dulce y corbata de moño, pero uno de mis compañeros llegó primero. En un segundo todos los viejitos ya tenían pareja.

Finalmente vi a una mujer de cabello gris, frunciendo el ceño mientras miraba por la ventana desde un sillón. No parecía amigable, pero era mi única opción.

—¿Disculpe, señora? —dije acercándome.

La mujer me miró con sus llorosos ojos azules. Pero apenas alcancé a decir 'kermés' cuando se giró de nuevo hacia la ventana.

—Creo que la kermés será divertida —le dije— ¿Quiere ser mi pareja?

—Supongo —respondió amargamente, como si le hubiera ofrecido un gusano hervido.

—Genial —dije sonriendo —Me llamo Tenney. ¿Cómo se llama usted?

La mujer dudó por un momento, como si estuviera decidiendo si confiar en mí o no.

—Me llamo Portia —dijo finalmente.

—¿Y qué le gusta hacer para divertirse?

—Jugar *backgammon* y reflexionar —contestó.

Reflexionar y jugar *backgammon* no parecían actividades propias de la kermés. No supe qué decir, así que me quedé sentada con ella.

Miré a mi alrededor, y vi a los demás platicando con sus parejas. Entonces decidí que no me daría por vencida.

—Vamos a hacer una venta de pasteles. ¿Usted sabe hacer pasteles? —le pregunté.

Portia negó con la cabeza.

—Pero me gusta comer —dijo sonriendo.

Me animé y continué haciendo preguntas. Portia me daba respuestas de una sola palabra, como si estuviera en otro mundo, pensando en algo más importante.

Cuando llegó la hora de irnos, me despedí de Portia y salí con los miembros del comité. Miré hacia atrás, y me sorprendió ver que Portia me observaba con curiosidad. Me despedí de ella y me contestó moviendo su mano lentamente.

—La kermés va a estar increíble —dijo Jaya mientras caminábamos a casa.

Luego me habló de su compañero, el señor con los tirantes de arcoíris. Se llama Frank y trabajó en un periódico. A los dos se les ocurrió la idea de instalar una cabina de impresiones en relieve para la kermés.

—¡Frank conoce a alguien que nos puede prestar una imprenta portátil! —dijo Jaya saltando—. Voy a diseñar un póster de edición limitada para la kermés. Luego, en el evento, le vamos a enseñar a la gente cómo debe imprimirlo.

—Suena genial. Parece que Frank es buen compañero —le dije.

Deseaba haber creado una conexión con Portia como la que Jaya tenía con Frank.

—¿A ti cómo te fue con tu pareja? —preguntó Jaya, como si me estuviera leyendo la mente.

—Bien —dije—. Pero no estoy segura de que a Portia le guste hablar conmigo.

—Sólo tiene que conocerte mejor —dijo Jaya mientras entrelazaba su brazo con el mío—. La próxima vez intenta descubrir qué es lo que tienes en común con ella, como hicimos Frank y yo.

—Buena idea —dije más tranquila.

Esa noche después de cenar, lavar los trastes y hacer la tarea, por fin tuve tiempo para trabajar en mi música. Tomé mi guitarra y mi diario de canciones y fui al patio trasero. El aire estaba fresco, y Waylon me seguía por los escalones del pórtico hasta mi lugar favorito para escribir: un espacio de suave pasto junto a la casa del perro, bajo un gran roble. Me senté y respiré profundo. Durante toda la cena, mi melodía había estado dando vueltas en mi cabeza. Ahora quería concentrarme. Pasé las páginas de mi diario hasta que me detuve donde había estado escribiendo ideas para la letra de mi canción.

Aubrey siempre dice que mi diario es un "diario de amor", y eso sí que me molesta. Lo dice como si en él escribiera cosas de niños y otros dramas, o dibujara corazones y mariposas por todos lados. Sí tiene algunos dibujos, pero más que nada, escribo ideas para canciones. Si alguien lo abriera, sólo vería frases desordenadas y progresiones de acordes. Pero para mí esas páginas son como las piezas de un rompecabezas, cada una esperando el momento de encajar en una canción.

Leí las ideas que había escrito para mi canción. Hasta ahora sólo tenía algunas palabras sueltas, y el inicio de dos líneas:

«Esta canción es para ti, amor
Que me cuidas con fervor»

Hice una mueca al leer 'con fervor'. Sonaba raro, como si 'mi amor' estuviera obsesionado o algo así. Eso no era lo que quería decir. "Necesito una palabra que rime con amor", pensé.

«¿Que me mira alabador?»

"Eso suena pero", pensé frunciendo el ceño.

«¿Con abrazo acogedor?¿Que me da calor?»

Iug, ¡no!

Además, ¿quién se supone que es "mi amor"?

Cerré los ojos, llena de frustración. Sin importar cuánto me gustara mi melodía, no podría escribir la letra hasta no decidir sobré qué sería. Abrí los ojos, y vi algunas palomillas bailando alrededor de la luz del pórtico. La luz de la cocina estaba encendida, y pude ver que mis papás estaban ahí hablando.

"Tal vez pueda pedirle a Papá o a Mamá algunas ideas", pensé. Prácticamente son expertos en escribir canciones. Sin embargo, Papá y Mamá tenían la misma regla para escribir canciones que para hacer la tarea: no puedo pedirles ayuda hasta que lo haya hecho yo sola. Si le dijera a Papá que tenía problemas para escribir una canción, sólo me sonreiría y citaría su línea favorita de 'Ulises', de Alfred Lord Tennyson, el poeta por el que me pusieron este nombre.

"Combatir, buscar, encontrar y no ceder". Y luego diría: "escribir canciones es difícil, pero esta es una canción escrita por Tennyson Evangeline Grant. Es decir que es tu música, tu voz. Es decir que son tus propias palabras".

Y si le pidiera ayuda a Mamá, me recordaría que aún estoy tratando de encontrar mi voz. Y luego diría: "las mejores canciones las escriben las personas que buscan en lo más profundo de sus sentimientos y escriben sobre ellos. Nadie puede ayudarte, sólo tú".

El rechinar de la puerta del mosquitero llamó mi atención. Levanté la mirada y vi que Mamá estaba en el pórtico.

—Hora de dormir, soñadora —dijo Mamá.

Mamá siempre me dice 'soñadora' cuando estoy escribiendo canciones, porque me olvido de todo lo que me rodea y me pierdo en el mundo de la música que suena en mi cabeza.

Bajé la mirada para ver mi diario, y parecía que las palabras se mezclaban entre sí. Suspiré y me levanté del prado.

—Puedes continuar mañana —dijo Mamá mientras yo subía los escalones del pórtico— Ninguna canción se hizo en un día.

EN EL CENTRO DEL ESCENARIO

Capítulo 5

Ese sábado, Papá, Mason y yo subimos nuestros instrumentos a la camioneta y nos fuimos a East Park, donde la Asociación de Vecinos celebraba un pequeño festival de música. Tri-Stars iba a presentarse a las dos de la tarde, todavía faltaba una hora completa, pero no podía esperar para subirme al escenario.

El East Park es pequeño, es sólo una plaza con prado y algunas áreas para jugar. Habían puesto un escenario temporal en el diamante de béisbol, donde otra banda local estaba tocando un alegre ritmo *bluegrass* para unos pocos espectadores. Unas cuantas personas se reunieron alrededor de dos puestos de comida, y pensé que Mamá podría estar vendiendo pollo picante, pero se había ido con Aubrey en el *food truck* para servir en una fiesta privada. Nos encontramos a algunos de nuestros vecinos, y Papá se detuvo para saludar a la señora Pavone, la mujer con enormes lentes color morado que vivía enseguida de nosotros.

Por fin nos reunimos detrás del escenario y afinamos nuestros instrumentos. Papá leyó nuestra lista de canciones en el orden en que las íbamos a tocar, y cuando terminó me di cuenta de que Mason estaba nervioso. Jesse todavía no había llegado.

—Nos queda menos de una hora —dijo Mason mirando su reloj. ¿Dónde está Jesse?

Papá apretó los labios.

—Voy a llamarla —dijo. Sacó su teléfono y marcó, pero no le contestó nadie. Unos minutos después la volvió a llamar y luego la llamó otra vez...

Cuando por fin contestó, faltaban quince minutos para que subiéramos al escenario. No pude escuchar lo que Papá le decía, pero no se veía contento. Cuando colgó y caminó hacia nosotros se veía desconcertado.

—¿Viene en camino? —pregunté.

—No —dijo Papá—, renunció.

Mason y yo resoplamos.

—¿Justo ahora? —exclamé— ¡Imposible! ¡No puede!

—Está bien —dijo Papá, aunque él no se veía nada bien—. Podemos reorganizar la lista de canciones. Yo seré el vocalista.

—¿Y cómo cantaremos 'Carretera a Carolina' y 'Flor Silvestre'? —preguntó Mason preocupado— Tu voz es muy baja y nunca hemos practicado esas canciones en otra tonalidad.

—¡Yo puedo cantarlas! —dije de inmediato.

Papá me miró indeciso.

—Yo puedo —insistí— tengo el mismo rango de Jesse y he cantado ambas canciones en los ensayos un millón de veces.

—Tenney tiene razón, ella puede —dijo Mason.

Un escalofrío recorrió mi espalda. Esto estaba pasando tan rápido.

—¿Quién tocará mi guitarra? —pregunté— No puedo cantar y tocar, al menos no sin ensayar antes.

—En 'Carretera a Carolina' yo tocaré la guitarra y no tendremos bajo —decidió Papá—. Todo lo que tienes que hacer es cantar.

Respiré profundo y traté de ignorar mi corazón

que latía a mil por hora.

—Está bien —respondí—.

Papá se veía más tranquilo y Mason me abrazó.

"No puedo creerlo", pensé. "¡De verdad voy a ser la vocalista!" La emoción recorrió mi cuerpo. Pero cuando miré al público que estaba bailando frente al escenario, mi confianza se evaporó. Había cantado solos, pero nunca había cantado una canción completa frente a un público. Y ahora iba a cantar ¡dos! Respiré profundo para relajarme.

"Me sé las canciones. Todo va a estar bien", pensé.

Los siguientes minutos no los recuerdo con claridad. Tocamos los *intros* de las dos canciones para que recordara dónde empezar, después esperamos a que la banda que estaba tocando terminara. Y por fin nos subimos al escenario.

Traté de no mirar al público mientras ayudaba a Mason y a papá a instalar nuestro equipo. No quería recordar cuánta gente me estaría viendo.

Cuando terminamos, Papá se acercó al micrófono principal.

—Damas y caballeros, somos Tri-Stars de Tennessee. Nuestro nombre es en honor a nuestra hermosa bandera —dijo sonriendo—. Hoy tenemos una estrella menos, pero confiamos en que vamos a brillar.

Me guiñó el ojo e hizo el conteo para comenzar nuestro repertorio. Nuestras dos primeras canciones eran rápidas y divertidas, para que la gente bailara. Papá le llama a este truco "avivar al público". Para cuando Papá comenzó su solo de guitarra en 'El Diablo se fue a Georgia' la gente aplaudía al ritmo de la música. Los dedos de Papá volaban. ¡Tocaba tan rápido que pensé que sus cuerdas se iban a incendiar! Cuando terminó con una floritura, la gente gritaba "¡Bravo!"

"¡¿Cómo voy a seguir después de eso?!", pensé.

Después íbamos a tocar 'Carretera a Carolina'. Papá la había compuesto hace muchos años para que Mamá la cantara. Es una gran canción, pero necesita una voz tan buena como la de ella. Traté de olvidar mis nervios.

"Sólo mantente en el tono" me dije.

—Estoy muy orgulloso de presentarles al miembro más joven de Tri-Stars —dijo Papá—. Mi hija, Tenney.

Papá se movió y me acerqué al micrófono principal. Estaba muy alto, pero antes de que pudiera pedirle a Papá que lo bajara, comenzó a tocar. Mason se le unió con su mandolina, que balanceaba el ritmo de la guitarra de Papá.

"Puedo hacerlo", me dije.

Mi entrada se estaba acercando. Traté de acercar el micrófono a mi boca, pero no se movió.

¡Estaba atorado! Me di cuenta y entré en pánico. Traté de aflojar la perilla pero no sirvió de nada. ¡¿Cómo iban a escucharme?!

Jalé el micrófono con las dos manos, pero se quedó en su lugar. Por fin, justo antes de mi entrada, pude sacar el micrófono del clip y pasé a un lado del pedestal.

«Esta carretera a Carolina está llena de senderos y caminos sin salida —canté— *Esta carretera a Carolina es demasiado oscura, y da vueltas hasta el infinito. Puede que no vaya a ningún lugar, sólo espero que me lleve hacia mi destino»*

"Bien, ya canté esto", pensé. Ocho compases después, canté el segundo verso incluso mejor que el primero. Conforme iba ganando confianza, mi voz se hizo más clara. Ahora venía el coro. Mason y Papá estaban listos para armonizar conmigo.

«¿Dónde estás?» —canté, relajándome en la parte que habitualmente cantaba. Pero de repente tuve un pensamiento horrible: "nadie está cantando la melodía".

Estaba tan perpleja que me quedé en silencio, olvidando la siguiente parte de la letra.

«Te necesito» —Mason y Papá cantaron juntos para cubrirme.

Mis mejillas se pusieron rojas por la vergüenza. Preocupada volteé a ver a Papá, pero su mirada decía "creo en ti".

Asentí y respiré profundo. "Concéntrate en el momento", me dije. Parecía que el público no había notado mi error. La gente estaba escuchando atentamente. La señora Pavone levantó sus pulgares en señal de apoyo. Cuando el siguiente verso comenzó, canté con todo mi corazón.

«Carretera a Carolina ¿vienes hacia mí?» —canté. Cerré los ojos, y mi voz navegaba a través de la melodía— *«Carretera a Carolina, sácame de aquí»*.

Mis nervios se fueron y abrí los ojos. ¿Por qué

tuve miedo? El público se movía al ritmo de la música. Sentía como si su apoyo me estuviera sosteniendo.

El coro comenzó otra vez.

«¿Dónde estás?» —canté mirando al cielo. Me sentí fuerte y libre, me sentí más auténtica que nunca. Quería que la canción durara para siempre.

Pero cuando terminó, el público estallo en aplausos.

—Gracias —susurré en el micrófono.

Antes de que pudiera asimilar el momento, Papá comenzó a tocar 'Flor silvestre'. Es una canción de *folk* simple, la había practicado muchas veces, así que era más fácil que 'Carretera a Carolina'. Cantarla se sintió como convivir con buenos amigos.

En algún punto, a la mitad de la canción, miré a Papá que me estaba observando. Se veía orgulloso y un poco sorprendido, como si nunca antes me hubiera visto cantar.

Durante el resto de la presentación, sentí como si estuviera flotando. ¡Lo había logrado! Fui vocalista y ¡canté bien! Ojalá Mamá hubiera estado ahí para verme. No podía esperar para contarle.

Cuando llegamos a casa, corrí hacia adentro. Mamá estaba en la sala con Waylon, y nos escuchó pacientemente mientras le contábamos cómo es que terminé siendo vocalista.

—Felicidades, cariño —me dijo Mamá— ¿Te divertiste?

—¡Me divertí muchísimo! —respondí.

—Tenney estuvo fantástica —dijo Papá.

—Más que fantástica —dijo Mason mientras se acostaba en el sillón junto a Waylon.

—¿Puedo ser vocalista otra vez? —pregunté.

Mamá se rió.

—Parece que ahora es más probable —dijo Mamá mientras miraba a Papá y levantaba una ceja.

—Sólo no empieces a cantar en cualquier lugar —dijo Papá.

—No lo haré —respondí. Pero casi ni escuché lo que dijo. Mi cabeza aún daba vueltas de tanta emoción. No podía esperar para cantar otra vez.

ELLIE CALE

Capítulo 6

A la mañana siguiente, fui de nuevo a la tienda de Papá para ayudarle a surtir cuerdas de guitarra. Mientras colgaba los paquetes en los ganchos, recordaba algunos instantes de la presentación de Tri-Stars. No sólo había cantado las dos canciones sin cometer errores graves, sino que me había divertido mucho siendo vocalista. Lo único que hubiera hecho aun mejor la experiencia, habría sido cantar una canción escrita por mí.

"Con mis propias canciones, realmente podría expresar quién soy yo", pensé. "Con la letra perfecta, podría transmitirle mis emociones al público".

Imaginé a un público cantando mi canción, todos pensando en cómo la letra se relacionaba con sus vidas. Con esa imagen en mi cabeza, estaba más motivada que nunca para terminar mi nueva canción.

Miré a mi papá, que estaba detrás de la caja registradora.

—Papá, ¿puedo tomarme un descanso? —pregunté— Quiero trabajar en mi nueva canción.

—Claro, cariño. Creo que la sala de prueba está disponible, por si quieres practicar con tu guitarra favorita —respondió.

La guitarra que tengo y que uso para componer canciones y tocar con Tri-Stars, es a lo que los músicos llaman "de batalla". Es sencilla y vieja, con algunos raspones en la boca y en el golpeador. No es una belleza, pero suena bien, y en la música eso es lo que cuenta ¿verdad?

Pero desde que papá recibió en la tienda un nuevo cargamento de guitarras, me enamoré de una Taylor mini color aguamarina, con uvas y capullos de rosas blancas dibujados en su cuerpo, y un pájaro cantor posado en el puente.

Fui a la sala de las guitarras y la descolgué de la pared antes de ir a mi parte favorita de la tienda: en la parte trasera de la tienda hay una sala de prueba de madera, ahí puedes tocar la guitarra en privado. Ahí me enseñó mi papá a tocar la guitarra.

Casi todo lo que sé de música, lo aprendí en esa sala.

Cerré la puerta y empecé a trabajar en mi canción. Primero toqué la melodía con calma. Hay muchos caminos para componer una canción, y este es uno muy directo. Tengo dos versos, luego el coro y un puente; el puente es una sección en medio de la canción con letra y melodía diferentes para mantener la atención del público, y después va el coro final.

La-la-la-la —tarareé porque aún no tenía letra— *La-la-laaa..."*

Escuchar la melodía hizo que me enamorara de mi canción otra vez. Era simple pero profunda, y se escuchaba increíble con esta guitarra que tenía un sonido más rico. Retomé el ritmo, y sentía la emoción y la tristeza por la melodía que fluía dentro de mí.

Un golpe en la ventana de la sala de prueba me sorprendió. Salté y dejé caer mi plumilla. Una mujer joven con cabello negro y puntiagudo estaba parada del otro lado de la ventana. Tenía un chal rosa estilo *retro,* una camiseta sin mangas y unos jeans. Y en la curva de una de sus orejas brillaba una fila de arracadas.

Abrí la puerta de la sala de prueba y pregunté:

—Disculpa, ¿Quieres usar la sala?

—De hecho, quería hablar contigo —contestó—. Eres muy buena. ¿Cómo se llama la canción que estás tocando?

—Mmm... no tiene nombre todavía —le dije.

Levantó las cejas con sorpresa.

—¿Tú la escribiste? —me preguntó.

Yo asentí.

—¿En serio? —dijo acercándose para verme como si fuera un bicho raro— Creo que te vi cantar ayer en East Park.

—¡Sí! —dije orgullosa— Con nuestra banda familiar. Se llama Tri-Stars.

Antes de que pudiera responder, Mason apareció detrás de ella.

—¿Puedo ayudarte? ¿O mi hermanita estaba haciendo mucho ruido otra vez? —preguntó guiñándome el ojo.

—En realidad me gustaría escuchar un poco más —respondío y volteó a verme—. Le estaba diciendo a tu hermana lo mucho que me gusta su canción.

Mason asintió y agregó:

—Tenney es nuestra pequeña estrella.

Yo me sonrojé.

—Encantada de conocerte, Tenney —dijo la mujer extendiendo su mano—. Me llamo Ellie.

Buscó en su bolsa y me dio una tarjeta.

—Ellie Cale —leí en voz alta—. Coordinadora de artistas y repertorio, Mockingbird Records.

Mi corazón latió con fuerza.

—¿Mockingbird Records? —Mason repitió sorprendido.

—Tenney, creo que eres una gran artista —me dijo Ellie—. Tienes una voz única, buen dominio de la guitarra y gran presencia en el escenario. Sabía que tenías algo especial cuando te vi tocar en East Park, pero ahora que sé que escribiste esa canción... —se detuvo un momento y asintió pensativa—.

Contuve la respiración esperando a que terminara su idea.

Finalmente dijo:

—¿Te interesaría hacer una carrera en la música? Por lo que he visto hasta ahora, creo que tienes mucho potencial.

Sentí que mi barbilla caía hasta piso, estaba muy sorprendida.

—¿Si sabes que tiene doce años, verdad? —contestó Mason sin pensarlo.

—¡Mason! —gruñí mirándolo fijamente.

Ellie soltó una risita.

—Tenney, ¿has escrito otras canciones?

—Tengo unas cuantas, pero...

Mason me interrumpió.

—Tenney escribe todo el tiempo. Tiene mucho talento.

—¡Genial! Siempre estamos en busca de nuevos artistas que compongan sus canciones —continuó Ellie—. Dos veces al año, Mockingbird organiza un show con nuevos talentos en el Café Bluebird. Es una oportunidad para nosotros, otras compañías y demás representantes de descubrir nuevos talentos. Nuestro próximo show es en un mes. ¿Te gustará participar con una canción original?

—¡Por supuesto! —contesté antes de procesar bien la pregunta de Ellie. Mi cerebro comenzó a trabajar. "¿El Café Bluebird? ¡Wow! Es uno de los clubes de música más famosos de Nashville. Todos, desde Garth Brooks hasta Faith Hill han tocado ahí. Y en una de sus noches de compositores ¡descubrieron a Taylor Swift!". Tan sólo de pensar en que me iba a presentar ahí, me daban escalofríos. Tendría que arreglar una de mis viejas canciones o terminar la nueva, pero podía hacerlo. ¡Tenía que hacerlo!

—Genial —dijo Ellie—. Habla con tus padres para asegurarte de que estén de acuerdo y después llámame para confirmar tu asistencia. ¿Está bien?

Asentí tan fuerte que mis dientes castañearon.

Después de que se fue Ellie, Mason y yo corrimos hasta el frente de la tienda para contarle a Papá sobre la propuesta de Ellie.

—Wow —exclamó— esto es bueno.

—Es mucho más que bueno, ¡es increíble! —dijo Mason mientras me cargaba para darme vueltas.

Papá se rió, pero era difícil saber en qué estaba

pensando.

—Esta noche hablaremos con tu mamá —dijo.

En cuanto llegamos a casa, Mason le dijo a mamá que me habían "descubierto".

Papá le enseñó a Mamá la tarjeta de Ellie.

—Mockingbird Records es una compañía muy sólida —dijo Papá.

—Eso es cierto —respondió Mamá mientras me pasaba los cubiertos para la cena.

Mamá no estaba tan emocionada como yo esperaba. Casi no dijo nada cuando Mason buscó Mockingbird Records en Internet y dijo de golpe los nombres de algunos de los artistas importantes que habían firmado con ellos.

—¡¿Qué tal si después de que Tenney cante, Mockingbird decide contratarla?! —dijo Mason.

Mi corazón dio un giro dentro de mi pecho.

Mis padres se miraron, pero no dijeron nada. Mamá le pasó el pan a Aubrey, como si nada, y dijo:

—¿Puedes poner esto en la mesa?

Me preguntaba por qué no estaban más emocionados. Luego recordé la historia de Mamá cuando grabó un demo con Silver Sun Records.

—¿Qué tal si me dejan grabar un demo y deciden convertirlo en un disco? ¿Y qué tal que sea un éxito cuando salga? —pregunté. Mi boca se movía más rápido que mi cerebro. Di una vuelta y choque con Aubrey y el pan.

—Cuidado —dijo frunciendo el ceño y luego puso la canasta del pan sobre la mesa.

—¡Per-dón! —canté y me fui bailando.

—Bueno, Tenney —dijo Mamá sonriendo—. No nos adelantemos tanto. Es sólo una invitación a un show.

—¡Pero puede ser el primer paso para que me convierta en cantante profesional! —grité.

Mis padres intercambiaron otra pequeña mirada cautelosa.

—¿Qué pasa? —pregunté. Sentía que algo estaba sucediendo.

—Cariño, ambos pensamos que eres un poco joven para algo como esto —dijo Papá.

—Ajá— dijo Aubrey metiéndose en la conversación.

La miré con enojo.

—¿Para qué soy demasiado joven? Estuvieron

de acuerdo con que fuera vocalista de Tri-Stars. Esta es sólo otra presentación —dije.

—Es más que eso —dijo Mamá amablemente—. Tú misma lo dijiste. Podrías recibir ofertas para convertirte en cantante profesional; y eso es algo que, como padres, tenemos que pensar cuidadosamente.

Me sentí como un globo que alguien acababa de romper.

—¿Me están tratando de decir que no podré ir al show? —pregunté.

—Estamos diciendo que tendremos que discutirlo en privado —respondió Papá.

—No entiendo —le dije a Mamá—, tú cantaste profesionalmente. ¡Hasta grabaste un demo!

—Era mucho más grande que tú, cariño —dijo Mamá gentilmente.

—Pero de verdad quiero presentarme en el show —insistí.

Lo sé —respondió Mamá, y luego apretó mi hombro—. Danos a tu padre y a mi unos días para pensarlo.

ENCUENTRA TU VOZ

Capítulo 7

De camino a la escuela, Aubrey cantaba a todo pulmón con los ojos cerrados: *«¡Tú también puedes ser una estrella! ¡Descubre tu talento y libre serás!»*

Había estado escuchando 'Una estrella como yo' desde que nos subimos al *food truck*. Tenía los audífonos puestos, así que no podía escuchar la música, sólo su voz. Eso era más desesperante.

Me tapé los oídos y observé mi diario de canciones. Quería escribir ideas para la letra de mi nueva canción. Ya había pasado un día completo desde que Ellie Cale me había invitado a cantar en el show y mis padres me habían dejado claro que necesitaban más tiempo para decidir. Estaba desesperada por obtener una respuesta, pero por ahora, lo único que podía hacer era concentrarme en mi música y no pensar en nada más.

Pero hasta el momento no había sido fácil. Seguía teniendo sólo dos líneas:

Esta canción es para ti, amor
Que me cuidas con fervor .

Leí de nuevo las palabras, y me di cuenta de que cada vez me gustaban menos. Eran cursis y aburridas. Eran el tipo de líneas que escribes cuando no sabes qué escribir. Taché las frases con una gruesa línea negra.

"Tal vez mi canción no deba hablar de amor", pensé. Aunque la melodía sonaba a amor. Todas mis canciones favoritas eran de desamor. ¿Pero qué sabía yo sobre eso? ¡Apenas estaba en sexto grado!

«*Siente orgullo porque tu alma es bella*» —gritó Aubrey.

—¡Mamá, dile que se calle! —gruñó Mason.

Nos detuvimos en un semáforo, y Mamá volteó a ver a Aubrey.

—Cariño, se terminó tu tiempo con Belle Starr —le dijo extendiendo la mano.

Aubrey hizo pucheros y le entregó el teléfono a Mamá. Pero sin música se volvía más inquieta. Se inclinó para tratar de leer mi diario, así que lo oprimí contra mi pecho.

—¿Estás escribiendo algo? —preguntó.

—Sí —contesté enojada. Y cuando comenzaba a tachar la letra, mi estómago gruñó de frustración.

"Necesito estar a solas para escribir", pensé. "Tal vez después de clases."

—No olvides que esta tarde tienes una reunión en el asilo de ancianos —dijo Mamá como si me estuviera leyendo la mente.

Lo había olvidado por completo. Mi canción tendría que esperar.

Cuando llegué a la escuela, encontré a Jaya en su casillero. Sus ojos se iluminaron cuando le conté sobre Ellie Cale y la invitación para presentarme en el show de Mockingbird Records en el Bluebird.

—Todavía no es seguro —dije, pero Jaya ya estaba abrazándome.

—¡¿Qué quieres decir?! ¡Es increíble! gritó.
Asentí sonrojada, pero mi corazón se elevaba de orgullo.

—No te emociones mucho aún —le dije—. Mis papás deben darme permiso de asistir.

—Te lo darán —dijo Jaya—. Ellos saben que tienes mucho talento. ¿Por qué querrían detenerte?

El entusiasmo de Jaya me llenó de esperanza. "Mis padres trajeron la música a mi vida, no pueden quitármela", pensé.

Después de la escuela, nos reunimos con Miss Carter y el resto del comité en la entrada principal de la escuela, y juntos caminamos al asilo.

Tan pronto llegué, fui hacia donde estaba Portia. Estaba sentada en el mismo sillón de la última vez, y miraba por la ventana.

—Hola, Portia —dije con una sonrisa, tratando de animarla— ¿Ha pensado en qué podemos hacer para la kermés?

—En realidad, no —dijo apoyando la barbilla

sobre su delgada mano. Las yemas de sus dedos estaban ásperas y duras. De repente me di cuenta de que teníamos más en común de lo que había pensado.

—¿Toca la guitarra? —pregunté.

Portia parpadeó como si se acabara de despertar.

—Sí, ¿por qué? —preguntó.

—Tiene callos en la mano derecha, como yo —dije mostrándole las yemas de mis dedos—. Los tengo porque toco la guitarra todo el tiempo.

Resopló y me observó detenidamente.

—¿Desde qué edad tocas? —me preguntó.

—Desde que tenía cuatro —contesté.

—¿Eres buena? —dijo cruzando los brazos.

Solté una risita nerviosa.

—Mmm, eso creo.

—Bueno, entonces sígueme.

Portia se levantó con cuidado y tomó un bastón que estaba detrás de la silla. Se recargó en él y caminó con paso vacilante hacia una puerta.

La seguí por un pasillo hasta un pequeño estudio lleno de libros. Se acomodó en un sillón de piel y señaló con la cabeza la esquina de la habitación donde estaba un estuche de guitarra recargado en la pared.

—Toca algo para mí —dijo.

Nunca perdía la oportunidad de tocar una guitarra, pero de repente me sentí un poco tímida. Puse el estuche en una mesita y lo abrí. Adentro había una guitarra de caoba pulida. Finas líneas con incrustaciones de oro brillaban alrededor de la boca y los trastes.

—Wow —exclamé— ¿Es su guitarra?

Portia asintió.

—Es hermosa —dije.

—Espero que eso no te detenga para tocar —dijo Portia.

Mi estómago dio vueltas, pero me senté frente a ella, y puse la guitarra en mi regazo. La afiné y toqué algunos *riffs*. Las cuerdas sonaban suaves y claras. El mástil de la guitarra era un poco más ancho de lo que estaba acostumbrada, pero podía cambiar de acordes fácilmente.

Toqué mi nueva melodía, y puse el corazón en cada acorde. Portia escuchaba, y marcaba el ritmo con su dedo mientras yo tocaba.

Cuando terminé, noté en su mirada una calidez que nunca había visto.

—Es buena —dijo—. ¿Tú la escribiste?

Asentí sorprendida.

—¿Cómo supo?

—Tocas como si el ritmo fuera parte de ti —dijo Portia sonriendo.

Mis mejillas se enrojecían.

—Dime de qué se trata la canción.

—Todavía no sé —admití—. Empecé a escribir la letra, pero no me gustó.

—Mmm... Según mi experiencia, una buena canción debe hablar sobre algo que signifique mucho para ti. En el fondo ya sabes lo que es, sólo necesitas encontrarlo.

—¿Ha escrito canciones? —le pregunté mientras le entregaba la guitarra.

—Algunas —dijo—, pero eso fue hace tiempo. Cuéntame más de ti.

A medida que Portia me hacía preguntas, mis respuestas fluían cada vez más. Le conté que tocaba en Tri-Stars y que había sido vocalista en un show durante el fin de semana. También le conté sobre

Ellie Cale y su invitación al show.

—Pero al parecer mis padres no me dejarán ir, piensan que soy muy joven —dije.

—Nadie es muy joven para la música —dijo Portia bruscamente—. No se trata de la edad, sino de estar lista.

—¿Cómo sabes cuando estás lista? —pregunté.

—Cuando encuentres tu voz —dijo Portia observándome con sus brillantes ojos—. No te preocupes por presentarte en un show. Tienes que descubrir qué es lo que quieres comunicar con tu música. Cuando sepas eso, habrás encontrado tu voz como artista. Y eso es algo especial. Eso es algo que nadie puede quitarte.

El consejo de Portia hizo eco en mi cabeza. Mientras caminaba de regreso a la escuela con el comité de la kermés, pensaba en encontrar mi voz más que cualquier otra cosa. Pero ¿cómo?

—¿Estás bien? —preguntó Jaya, interrumpiendo mis pensamientos.

—Estoy atorada con la letra de mi nueva canción —admití—. ¿Como puedo escribir una canción si no sé qué es lo que quiero decir?

—Bueno, si estás atorada, tal vez deberías dejarla por un rato —dijo Jaya inclinando la cabeza—. Cuando tengo problemas con un diseño, siempre me ayuda distraerme con otras cosas.

En cuanto lo dijo, me di cuenta de que tenía razón. Después de todo, no iba a encontrar mi voz con tan sólo una canción.

LA CENA DE DOMINGO

Capítulo 8

Durante esa semana, todas las tardes después de terminar mi tarea, leía cuidadosamente mi diario de canciones. La mayoría de mis viejas canciones ya no me gustaban, pero había una que tenía potencial. Se llamaba 'En casa otra vez.' La había escrito el año pasado después de que regresamos de un viaje en carretera a Knoxville. No era perfecta, pero funcionaría si mis padres me dejaban cantar en el show de Mockingbird.

"Sé paciente", me dije. "Y concéntrate en tu música".

Ya casi terminaba el fin de semana y comenzaba a ponerme ansiosa. Mis padres aún no habían dicho nada del show. Si para la hora de la cena aún no me decían cuál era su decisión, les iba a preguntar.

Esa noche era nuestra Cena de Domingo. Una

tradición mensual de la familia Grant. Todos ayudamos a prepararla: yo hice la ensalada, Mason hizo la sémola, Papá preparó las costillas a la barbacoa, Mamá horneó pan de maíz y pudin de plátano, y Aubrey puso la mesa en el patio trasero. Normalmente me gustaba la Cena de Domingo, pero esa noche me sentía molesta y preocupada mientras pensaba en el show. Necesitaba saber la decisión de mis padres.

Casi al final de la cena, cuando todos estaban de buen humor, finalmente reuní todo mi valor y toqué el tema.

—Deberíamos llamar pronto a Ellie Cale —dije tranquilamente—, para informarle si voy a participar, o no, en el show.

Mis padres se miraron. Finalmente Papá habló.

—Tu mamá y yo estuvimos hablando de esto por un buen rato, y pensamos que no es una buena idea que vayas al show.

Tomé un poco de aire.

—Pero es sólo una presentación —dije.

—No se trata de la presentación —respondió Mamá—. Sino de a dónde te puede llevar.

Miré mi plato detenidamente. Si miraba a mi mamá, seguramente iba a llorar.

—¿Qué hay de la kermés? —preguntó Papá— Presentarte en tu escuela es un gran lugar para empezar. Con gusto te daremos permiso para que te presentes ahí.

—El show del Bluebird está organizado por un sello discográfico, Papá. Ese sería un gran lugar para empezar —le dije.

Podía sentir cómo mi barbilla temblaba. Junté toda la fuerza que tenía para no derrumbarme.

—Lo siento, cariño —dijo Mamá—. Pero eres demasiado joven para empezar a buscar una oportunidad en la música.

—Nadie es muy joven para la música —contraataqué citando a Portia— No se trata de la edad, sino de estar lista.

Mis papás me miraron sorprendidos. "Bien", pensé. "Tal vez entenderán". Pero cuando no obtuve respuesta, supe que la conversación había terminado.

Mientras llevaba mi plato adentro, escuché que Mason les decía:

—No sé por qué no la dejan presentarse. Tiene

una gran oportunidad y no la va a llevar a nada. Aunque fuera así, siempre pueden decir que no. Ella es buena y se lo merece.

—Suficiente, Mason —dijo Papá.

Dejé mi plato y me fui a la sala. Las sillas formaban un círculo para nuestra sesión improvisada de música, donde todos tocábamos juntos. Lo último que quería hacer era fingir que todo estaba bien y tocar como si fuéramos una gran familia feliz. Pero sabía que mis padres no iban a dejar que me fuera.

Cuando terminamos de recoger los trastes, nos sentamos en la sala con nuestros instrumentos.

—Tenney, ¿quieres elegir la primera canción? —preguntó Papá afinando su guitarra.

Negué con la cabeza. Sabía que Papá me estaba dejando elegir primero para hacerme sentir mejor, pero no estaba de humor.

—Está bien, entonces ¿Georgia? ¿Tienes alguna? —le preguntó Papá a Mamá.

—Creo que sí —dijo Mamá alegremente, acomodando el autoarpa en su regazo. Sus dedos pasaron por encima del cuerpo de la autoarpa, eligiendo los primeros acordes de 'Florece Abril'.

«En abril la lluvia cayó, y tu amor se llevó»

La voz de Mamá sonaba fuerte y amaderada contra el brillante sonido del autoarpa. En la siguiente línea, volteó a verme.

«En abril la lluvia cayó, y mi orgullo se llevó»

Todavía estaba molesta, pero escuchar la voz constante de Mamá, calmó mi dolor. Papá se le unió y su armonía me rodeó con un cálido abrazo. Pero todavía no estaba lista para cantar.

Mamá continuó con el siguiente verso. Papá dice que mi voz suena como la de ella, pero mientras la escuchaba, no podía creer que eso fuera posible. La voz de Mamá es tan profunda... es como si la canción que sale de ella trajera un remolino de emociones. Cada nota me ponía la piel de gallina.

"Ella podría haber sido cantante profesional", pensé. "¿Qué fue lo que realmente sucedió en Silver Sun Records? ¿Qué me está ocultando?"

Cuando comenzó el coro, Mason y Aubrey se unieron, mi frustración había disminuido y me sentía lista para unirme. Mientras cantaba, sentí el dolor y la pérdida en la letra de la canción y dejé que mi tristeza inundara mi voz. Me hizo sentir mejor. Todavía estaba triste, pero me sentía conectada con mis padres, con Mason y con Aubrey, como si la música nos hiciera parte de algo más grande.

Tocamos canción tras canción hasta que Aubrey empezó a bostezar. Papá la llevó a su cama, y Mason se fue a la cochera para arreglar su nuevo amplificador. Eso me dejó sola con Mamá, así que le ayudé a lavar los trastes. Enjuagué los platos y Mamá los puso en la lavavajillas. Nos quedamos calladas por un rato, pero de vez en cuando Mamá me miraba de reojo.

—Lamento que nuestra decisión te haya lastimado —dijo finalmente.

—Estoy confundida —dije—. Tú misma querías hacer una carrera en el mundo de la música.

—Quería —dijo—, pero después aprendí que en una carrera musical no todo es tan bueno como parece.

—¿Qué quieres decir? —pregunté frunciendo el ceño.

—Crecí cantando, tocando y amando la música, igual tú —dijo Mamá—. Y cuando tenía diecinueve años conocí a un productor que me dijo que podía ser una estrella.

—¿Qué pasó? —pregunté.

Mamá se inclinó en la barra.

—Bueno, a veces lo que quieres y lo que obtienes al final resultan ser cosas muy distintas —dijo con tristeza—. Adoro la música, pero no me gustó lo que el negocio de la música me hizo.

—¿Qué te hicieron? —pregunté.

Mamá dudó.

—Ser una cantante profesional es muy estresante, Tenney. No siempre es divertido.

Fruncí el ceño confundida. ¿Qué podría ser más divertido que hacer lo que amas todo el tiempo?

Antes de que pudiera preguntar, Mamá puso las manos en mis hombros.

—Tienes muchísimo talento, cariño. Pero para ser exitosa en el mundo de la música no sólo necesitas talento, también necesitas trabajar duro. Y eres muy joven. Sólo quiero que seas una niña mientras puedas. No tienes que apresurarte a comenzar una carrera musical, te lo aseguro.

Mamá me abrazó. Sabía que quería hacerme sentir mejor, pero una pregunta hacía eco en mi cabeza. "¿Qué tal si no vuelvo a tener una oportunidad como esta otra vez?"

BAJO EL REFLECTOR

Capítulo 9

Al día siguiente fue la excursión del sexto grado al Auditorio Ryman. Antes de que la campana sonara, los niños se amontonaron en los escalones del autobús. Jaya y yo nos subimos y nos sentamos en los asientos de atrás.

Me recargué en el asiento y miré por la ventana. Me había costado trabajo dormir la noche anterior después de mi charla con Mamá. Todavía no podía entender por qué Mamá había sido tan infeliz como músico profesional. Nunca había contestado ninguna de mis preguntas.

La voz de Jaya me distrajo.

—¿Qué opinas de los pósteres para la kermés? —sostuvo su cuaderno mientras me mostraba un colorido dibujo con gente bailando frente a una gran tienda. Con una tipografía al estilo del viejo oeste, había escrito en la parte de abajo '¡Comida! ¡Amigos! ¡Diversión! ¡Kermés de Magnolia Hills!'

—¡Está increíble! —dije sonriendo, a pesar de que todavía me sentía triste.

Jaya sonrió.

—¡Oh, casi lo olvido! —dijo dando la vuelta a la página— Hice algo para ti.

En su cuaderno decía 'Tenney Grant' con una letra que nunca había visto. Las palabras estaban escritas en un pentagrama, como una partitura. La 'T' de Tenney parecía una clave de sol y la 'G' parecía una clave de fa. Las demás letras parecían notas musicales.

—¡Es tu propia fuente! —dijo Jaya— Puedes usarla para pósteres o para tu página web cuando hagas presentaciones. ¿Qué piensas?

Sentí que se me apachurraba el corazón.

—Está increíble —dije tratando de sonar alegre, pero antes de que me diera cuenta mis ojos se llenaron de lágrimas.

—¿Qué tienes? —preguntó Jaya.

Respiré profundo y le conté que mis padres no me habían dado permiso de presentarme en el show.

—Lo siento, Tenney —dijo Jaya acercándose.

Antes de que pudiera decir otra cosa, el autobús se detuvo frente al Ryman y mis compañeros comenzaron a llenar el pasillo.

—Trata de divertirte hoy —dijo Jaya—. ¡Te encanta el Ryman!

Asentí y le di un abrazo de agradecimiento.

Nos bajamos a la sombra del majestuoso edificio de ladrillos rojos con ventanas de arco y puertas dobles.

Nuestra guía esperaba en la recepción.

—Bienvenidos al Ryman, también conocido como ¡la Catedral de la Música Country! —dijo—. Hay una razón por la este edificio parece una iglesia, y es porque solía ser una. Desde que se convirtió en auditorio, a principios del Siglo XX, casi todas las estrellas de la música country se han presentado aquí.

Continuó contándonos la historia del edificio mientras la seguíamos por las escaleras hacia un pequeño camerino. Una silla blanca de piel se encontraba frente a un espejo que tenía en el marco luces brillantes. En las paredes había fotos de estrellas como Dolly Parton y Tammy Wynette.

Este es el camerino de las Mujeres del Country —dijo la guía—. Lo nombraron en honor a las mejores cantantes del Ryman, y todavía se usa mucho. La semana pasada, Belle Starr se preparó en esa silla antes de su presentación.

Una de mis compañeras gritó de emoción. Hasta Holliday Hayes parecía impresionada.

—Hemos escuchado algo de Belle Starr —dijo Miss Carter sonriendo.

—Uno de mis compañeros la conoció —dijo la guía, inclinándose como si fuera a decirnos un secreto—. Dijo que Belle estaba contando cómo hasta hace unos años sólo se presentaba en fiestas familiares y en el restaurante de su tío. ¡No podía creer que iba a presentarse en el Ryman!

"Apuesto a que los padres de Belle la hubieran dejado presentarse en el show", pensé mientras bajábamos por las escaleras.

—Tengo una sorpresa más para ustedes —dijo nuestra guía cuando dimos la vuelta en la recepción. No todos los visitantes tienen la oportunidad de hacer esto, pero su maestra nos comentó que hay algunos admiradores de la música.

Dimos la vuelta en otra esquina. Adelante, unas cortinas estaban abiertas junto a un letrero que decía ESCENARIO.

—¿Están listos para ser estrellas? —dijo nuestra guía y guiñó el ojo.

El corazón se me subió a la garganta. ¡Íbamos a pararnos en el escenario del Ryman!

Nos formamos tras bambalinas con Miss Carter y nos asomamos al auditorio. Estaba impresionada por la belleza del lugar, de pronto me sentí desilusionada por la decisión de mis padres de no dejarme cantar en el show. La luz se filtraba por las ventanas de colores hacia las filas de butacas de madera y hacia el balcón de arriba. Las poderosas luces brillaban en el gran escenario, el cual acababan de pulir y estaba liso como el cristal. La guía le hizo una señal a alguien que estaba en la parte de atrás del auditorio. De repente, las luces del escenario se desvanecieron para dejar sólo un reflector que iluminaba un micrófono antiguo en el centro del escenario. Mis compañeros pasaron al escenario, uno por uno, y se pararon bajo el reflector delante del micrófono.

Cuando fue el turno de Jaya, hizo una pose de estrella de rock y acercó el micrófono a su cara.

—¡Hola, Nashville! —exclamó. El eco de su voz resonó por todo el teatro.

Por fin llegó mi turno. Sentía el aire fresco mientras caminaba por las sombras, pero cuando me paré bajo el reflector, era como si estuviera parada bajo un sol gigante. Todo se veía de color naranja brillante hasta que mis ojos se acostumbraron.

El público parecía un mar oscuro delante de mí. Incliné mi cara hasta el micrófono, imaginando las filas llenas de gente con sus rostros ansiosos, esperando a escuchar mis canciones. La electricidad recorría mi cuerpo. Apenas podía sentir el escenario bajo mis pies. "Así se habrá sentido Belle Starr cuando se presentó aquí", pensé. "¡Y Patsy Cline! ¡y Taylor Swift!" Me imaginé cantando en ese hermoso micrófono, mi voz sonando fuerte y clara, la audiencia cantando conmigo cada palabra.

—¿Tenney? —Sentí una mano sobre mi hombro. Miss Carter estaba detrás de mí, sonriendo—. Te estuve hablando.

Escuché a los niños reírse en la oscuridad.

—Perdón —dije apenada.

Mientras mis ojos se acostumbraban a la oscuridad del teatro, miré por última vez el escenario del Ryman, tratando de memorizarlo. "Algún día voy a presentarme aquí", me prometí.

Mi cabeza dio vueltas durante todo el camino de regreso a la escuela. Pararme en el escenario del Ryman me había inspirado. "¿Es importante que toque en el show?", pensé. "Lo importante es escribir buenas canciones y tocar cada vez que pueda".

—Parece que ya estás más contenta —dijo Jaya dándome un suave codazo.

Sonreí llena de energía.

—Belle Starr tocaba en reuniones familiares y restaurantes. Eso es lo que tengo que hacer, empezando por la kermés —dije.

—¡Exacto! —dijo Jaya— ¿Ya te inscribiste?

Negué con la cabeza. De pronto recordé que Miss Carter había dicho que nos inscribiéramos antes de que fuera demasiado tarde.

—¿Qué tal si ya no hay lugar?

—Todavía hay —contestó Jaya, aunque en su voz había un poco de duda.

Cuando el autobús nos dejó en Magnolia Hills, corrimos al salón de Miss Carter. La hoja de registro todavía estaba en la puerta. Todas las líneas estaban ocupadas con el nombre de alguien... ¡menos la última!

—¡Gracias a Dios! —dije. Escribí mi nombre, y en la columna de 'talento/acto' escribí 'cantautora'.

—¡Estoy tan emocionada por escuchar tu canción! —dijo Jaya aplaudiendo.

—Yo también —dije—. ¡Ahora sólo tengo que terminarla!

—¿Escribes canciones? —dijo una voz detrás de mí. Holliday Hayes estaba parada ahí, viéndome con cara de asco.

—Sí —respondí—. También toco la guitarra y canto.

—Tenney es increíble —dijo Jaya.

Holliday hizo un sonido de enfado, como si tosiera y resoplara al mismo tiempo.

—Felicidades —dijo.

Antes de que pudiera contestarle, se fue por el

pasillo.

—¿Qué le pasa? —Jaya preguntó.

—No lo sé —dije confundida.

De todas formas no tenía tiempo de preocuparme por ella. Pensaba en lo que Mamá había dicho: para una carrera musical no sólo se necesita talento, se necesita trabajar duro. Necesitaba encontrar las palabras para mi canción.

UN DESCUBRIMIENTO

Capítulo 10

Esa noche, Mamá y Papá trabajaron hasta tarde, así que Mason preparó la cena. La pizza congelada estaba quemada y los chícharos estaban resecos, pero me comí todo tan rápido como pude. Terminé mi tarea y después llevé mi guitarra y mi diario a la sala, para poder trabajar en mi nueva canción.

Aubrey me siguió hasta la sala. En una mano llevaba muchos plumones y en la otra un cuaderno.

—Aubrey, voy a trabajar —le dije.

—No haré ruido, lo prometo —dijo arrodillándose frente a la mesita de café para dejar sus cosas.

Abrí mi diario en una página en blanco, y traté de concentrarme. "Hasta ahora no me ha gustado ninguna de las letras que he escrito", pensé. Así que iba a empezar desde cero. Puse la guitarra en mi regazo y lentamente comencé a tocar la melodía. De vez en cuando, me detenía para escribir las ideas que se me iban ocurriendo. Cuando terminé, miré la página con todas las ideas. 'Amor, extrañar, noche, estrellas...' Las palabras daban vueltas unas con otras como libélulas. Cada uno de mis versos tenía cinco líneas, entonces traté de hacer oraciones cortas, y las cantaba mientras tocaba. Rimé 'noche' con 'coche' pero las frases no parecían coherentes. Por fin encontré un par de versos con sentido y que se unían a la melodía. Pero cuando las canté, se escuchaban forzadas y vacías.

Mason se asomó a la sala.

—Hora de dormir, Aubrey.

—Cinco minutos más —dijo haciendo pucheros. Pero antes de que pudiera seguir protestando, Mason la cargó y le hizo cosquillas hasta que los dos rieron juntos.

—¡Shhh, trato de escribir! —dije. Pero la risa de Aubrey era tan contagiosa que no pude evitar reírme.

—Vamos, Aubrey —dijo Mason—. Hay que ir arriba para darle a la Reina Tenney un poco de paz y silencio. Me guiñó el ojo y cargó a Aubrey sobre su hombro.

—¡Espero que esa canción sea sobre mi! —gritó Aubrey mientras Mason la llevaba arriba.

Sonreí y dejé que mis ojos admiraran el dibujo de Aubrey. Había dibujado a nuestra familia: Mamá con una batidora y un tazón, Papá paseando a Waylon con su correa, Mason tocando una tarola, Aubrey posando como bailarina y yo tocando la guitarra.

Puse el dibujo en la mesa de la cocina para que lo vieran Papá y Mamá. A través de la ventana admiré la noche estrellada sobre nuestro patio trasero. Waylon se sentó en el pórtico, y se le cerraban los ojos. "Tal vez sólo tengo que cambiar de lugar", pensé. Tomé mi guitarra y mi diario y caminé hacia la casa de Waylon. Desde allí podía ver la cocina iluminada. "Está bien, un nuevo enfoque", pensé. "Ahora pregúntate...

¿De qué se trata la canción?

De amor.

¿Y qué quieres decir con 'amor'?

Mmm..."

No sabía qué quería decir sobre el amor. ¿Que era algo bueno? ¿Que me hacía feliz? Eso era obvio. Recordé lo que Portia me dijo: una buena canción es sobre algo que signifique mucho para ti.

"Entonces esta canción es sobre alguien a quien amo. ¿Pero quién?" Nunca me había enamorado ni me habían roto el corazón, pero todas mis canciones favoritas eran sobre algo que el compositor había amado y perdido. No pude pensar en algo que hubiera perdido a excepción de mi sombrero favorito, y no parecía tan importante como para escribir una canción. Pero no podía pensar en otra cosa. Estaba bloqueada. Sentía como si mi corazón fuera una trozo de papel arrugado. Bostecé y me froté los ojos, pero no quería irme a dormir sin haber escrito al menos una línea buena para mi canción.

Después escuché el suave rugido del *food truck* de mamá mientras se estacionaba de reversa en la entrada. Se estacionó y se bajó. Estuve a punto de hablarle, pero cuando vi su cara sus ojos estaban hinchados y cansados, en su boca se dibujaba un gesto de cansancio. Nunca la había visto tan cansada. Normalmente, cuando ella llegaba de trabajar yo ya estoy durmiendo. Subió con cansancio los escalones del pórtico, entró a la cocina y se dejó caer en una silla frente a la mesa.

De pronto, una sonrisa apareció en su rostro, la vi levantar el dibujo de Aubrey. Lo miró por largo rato, y vi sus ojos llenos de amor. Tomé un poco de aire y me di cuenta de qué iba a tratarse mi canción. Escribí un título en mi diario: 'Alcanzar el Cielo'. Emocionada, comencé a escribir, las palabras fluían sin cesar. Escribí todo lo que quería decirle a Mamá en ese momento. Dejé de pensar en escribir una canción "perfecta" y solamente dejé que fluir mis pensamientos. Para cuando llegó la hora de dormir, ya había terminado un borrador de la letra, y la canté bajito. No era perfecta, pero me encantaba. Decía lo que quería decir. Por primera vez, en mucho tiempo, sentí que había nacido para escribir canciones.

UN PUENTE MÁS FUERTE

Capítulo 11

Al día siguiente en el recreo, Jaya preguntó:

—¿Cuándo me vas a mostrar tu nueva canción?

—Cuando esté lista —respondí—. Todavía estoy trabajando en ella, pero... tal vez la escuches ¡en la kermés!

Aunque 'Alcanzar el Cielo' todavía no estaba lista, ya tenía algo sólido.

Jaya hizo pucheros y le dio una mordida a su sándwich de crema de cacahuate y mermelada.

—Hablando de la kermés, ¿ya sabes qué van a hacer Portia y tú?

Negué con la cabeza.

—De hecho, Portia no está muy emocionada con la kermés.

—¿Y qué le emociona? —preguntó Jaya.

—Bueno, le gusta la músi...

Antes de terminar la oración, me llegó de golpe una idea. Respiré profundo y dije:

—¡Debería preguntarle si quiere cantar conmigo en la kermés! Ella toca la guitarra. Apuesto a que también canta. ¿Cómo no se me había ocurrido antes?

—No sé —dijo Jaya y las dos nos reímos.

Después de clases fuimos de nuevo al asilo con Miss Carter y los demás niños del comité. En cuanto llegué, comencé a buscar a Portia. Al principio no la vi, pero después la encontré en una esquina del pequeño estudio donde había tocado su guitarra.

—¿Qué les parece? Es la señorita Tenney —dijo Portia mientras yo entraba— ¿Qué te trae por aquí?

Dudé por un momento. Las dos veces que había ido, Portia no había querido hablar de la kermés. Pero sí se había interesado en mi canción. Tal vez si le mostraba la versión con la letra, podría proponerle que la cantara conmigo en la kermés.

—Terminé mi canción —dije—. ¿Quiere escucharla y decirme qué le parece?

Portia aceptó. Sus ojos mostraban interés.

Mi estómago daba vueltas por los nervios mientras tomaba su guitarra. Todavía no le había enseñado a nadie mi canción. Pero quería una opinión sincera y sabía que Portia me la iba a dar, no iba a detenerse sólo porque soy una niña.

—Cuando estés lista —dijo Portia.

Empecé a tocar, y mantuve mis ojos en la guitarra. Tenía miedo de olvidar las palabras si miraba a Portia. Pero cuando llegué al segundo verso estaba tan relajada que levanté la vista para verla. Estaba escuchando con cuidado, pero no podía adivinar lo que pensaba, incluso después de que terminé de tocar.

Después de una larga pausa, por fin habló.

—Es buena. De hecho, es más que buena.

—Gracias —dije, sintiéndome orgullosa.

—No te emociones tanto, todavía no es un éxito —dijo— Tengo algunas sugerencias.

Extendió sus manos y le di la guitarra. Después Portia hizo algo increíble. Tocó mi canción nota por nota. No podía creer lo buena que era tocando la guitarra. ¡Sólo me había visto tocar la melodía dos veces!

—El verso y el coro son pegajosos —dijo deslizándose a través de la melodía— pero el puente podría ser aun mejor. ¿Tal vez algo así?

Portia improvisó en mi puente acelerando el tempo.

—Esta canción tiene fuego —dijo— Tienes que dejarlo salir.

—Usted es muy buena —dije.

Miré con asombro mientras sus dedos bailaban sobre los trastes de la guitarra. Portia soltó una risita. Cuando comenzó a tocar más rápido, la mano con la que hacía los acordes tembló. Antes de que pudiera parpadear, tembló nuevamente. La música se volvió un lío. Portia levantó la mano y apretó los dedos fuerte en forma de puño.

—¿Está bien? —pregunté.

—La verdad, no —dijo. Luego dejó la guitarra en su regazo.

—¿Qué le pasó a su mano? —pregunté con delicadeza.

—Hace seis meses sufrí una embolia —me dijo. Ahora estoy un poco mejor, pero los músculos de esta mano todavía están muy débiles.

Portia miró sus manos como si estuviera avergonzada.

—No se sienta mal —le dije— Sigue siendo una excelente guitarrista. Sólo necesita practicar.

—Lo sé —me dijo.

—Podría traer mi guitarra para que practiquemos juntas —continué.

Portia me miró por un largo rato.

—Tal vez. Está bien —dijo finalmente.

—Hmm... también me inscribí para presentarme en la kermés —le dije— Estoy nerviosa.

—Bueno, no te haces mejor evitando lo que te da miedo —dijo Portia.

—Tal vez no me sentiría tan nerviosa si usted tocara conmigo... —dije.

—No creo —respondió.

—¿Por qué no? —la cuestioné— Usted es muy buena y necesitamos hacer algo juntas para la kermés. Creo que será divertido.

—No —dijo Portia bruscamente.

Me quedé callada y la miré, no sabía qué decir.

La mirada de Portia se relajó un poco.

—Discúlpame —dijo— pero ya no toco.

—Pensé que no te hacías mejor evitando lo que te daba miedo —respondí.

Portia apretó los labios formando una línea rígida y se encogió de hombros.

—¿Qué más podemos hacer para la kermés?

—Supongo que podemos trabajar en la mesa de la venta de pasteles... —dije desanimada.

—Está bien —dijo Portia.

Y cuando miró por la venta supe que la conversación se había terminado.

Esa noche trabajé en 'Alcanzar el Cielo'. Primero, seguí la sugerencia de Portia e hice un puente más fuerte. Después pulí la letra, revisando dos veces cada palabra para estar segura de que fuera la que yo quería. La canción se sentía más fuerte, pero quería que la escuchara alguien con un oído en el cual confiara, y no iba a ver a Portia otra vez hasta dentro de unos días. Entonces fui a la cochera a buscar a mi hermano.

Mason estaba en su mesa de trabajo soldando

cables. Cuando me vio, dio un salto y se quitó los lentes de seguridad.

—Estoy ocupado —dijo molesto.

—¡Perdón! —dije— Sólo necesito que me des cinco minutos para que escuches mi canción.

—¡Ah! ¿Por qué no lo dijiste antes? —dijo Mason sonriendo. Cubrió su proyecto con una toalla y se sentó— ¡Dale!

Respiré profundo y comencé a tocar. Confundí algunas de las palabras nuevas, pero creo que toqué bien. Cuando terminé de tocar Mason me veía como si tuviera tres cabezas.

—¿Tú escribiste eso? —preguntó.

—Sí... —dije en tono defensivo— ¿Por qué?

—Tenney, ¡esa canción es tan buena que podría estar en la radio! —dijo Mason.

—¿En serio? —mi corazón latía rápido.

—¡Claro! —continuó— Tienes que tocarla para Papá y Mamá, ahora mismo. ¡Es increíble!

Comenzó a caminar hacia le entrada de la casa.

—¡Espera! —le dije— Todavía no quiero que la escuchen.

—¿Por qué no? —preguntó Mason— Tenney,

esta canción prueba que eres una compositora de verdad.

Me llené de alegría. Había esperado toda mi vida para que alguien me dijera eso.

—Gracias —murmuré.

—No me lo agradezcas, créeme —dijo Mason con una mirada seria.

—Quiero que Papá y Mamá escuchen la canción en la kermés, cuando ya la tenga lista. Ojalá tuviera más oportunidades para tocarla —pensé en voz alta—. Para poder acostumbrarme a tocar en solitario frente al público. Pero es imposible.

Mason tamborileó sus dedos en el escritorio, pensando.

—Tal vez sí hay una oportunidad —dijo.

—¿Cuál? Tri-Stars no tienen otra presentación sino hasta el próximo mes, y ya sabemos que no puedo presentarme en el show.

Mason iba a responderme, pero después se detuvo.

—Yo encargaré de eso —respondió finalmente.

PRINTERS ALLEY

Capítulo 12

Unos días después, cuando Jaya saltó hasta mi casillero, las palabras de Mason eran sólo un recuerdo. Jaya se veía demasiado feliz, considerando que habíamos tenido mucha tarea el fin de semana.

—¿Qué vas a hacer después de clases? —me preguntó—. Sus ojos brillaban con picardía.

Me encogí de hombros.

—Creo que avanzaré con el reporte del libro.

Jaya negó con la cabeza.

—Tengo una mejor idea...

No estaba segura de a qué se refería hasta que salimos de la escuela y vi a mi hermano en la entrada recargado sobre la camioneta de Papá.

—Hoy no tenías que recogerme —dije confundida.

—Sí tenía —dijo Mason con una sonrisa— Es

una ocasión especial.

Abrió la puerta trasera de la camioneta, y vi el estuche de mi guitarra junto al amplificador descompuesto que Mason había tomado de la tienda. En el amplificador decía 'Tenney Grant' con la letra especial de Jaya, y los costados estaban decorados con hermosas flores.

Mire a Jaya y a Mason, sorprendida.

—No entiendo —dije.

—¡Lo arreglamos para ti! —dijo Jaya.

—Todo gran músico necesita un amplificador. Si no, ¿cómo te van a escuchar las personas cuando cantes hoy? —dijo Mason, y me guiñó el ojo.

—Esperen, ¿hoy?

—Sip —contestó—. Nashville necesita escuchar la música de Tenney Grant ¿no lo crees?

Pasé saliva. Esto estaba pasando muy rápido. Aun así, sentía más emoción que miedo. La emoción recorría mi cuerpo.

—¡Sí! —dije finalmente.

Era ahora o nunca.

Quince minutos después, los tres nos dirigíamos a Broadway, el corazón de la escena musical de Nashville. Pegué mi cara a la ventana. Mientras pasábamos, brillantes anuncios de neón parpadeaban afuera de Tootsie's Orchid Lounge y Robert's Western World. Pude escuchar el eco de la música en vivo que salía de sus puertas abiertas. "En estos clubes han tocado músicos legendarios", pensé sintiendo la piel de gallina. El sólo pasar por el mismo vecindario era intimidante. Me preguntaba si Papá alguna vez inscribiría a Tri-Stars para tocar en estos lugares.

Luego recordé que mis padres habían dicho que era muy joven para presentarme.

—Mason, mis papás están de acuerdo con esto ¿verdad? —pregunté.

—Dijeron que podía llevarte al centro con Jaya —dijo Mason sin quitar la vista del camino—. Ayúdenme a buscar un lugar para estacionarnos.

—Está bien —dije más tranquila.

Encontramos un lugar en Commerce Street y nos bajamos.

—No estoy segura de que sea una buena idea tocar en Broadway —dije mientras Mason bajaba el equipo.

—De todas formas no iba a poder conseguirte un lugar en uno de estos clubes —admitió Mason, y me dio mi guitarra—. ¿Y qué tal en Printers Alley?

—¡Sí! —dije— ¡Es perfecto!

El centro de Nashville tiene muchas calles y callejones pintorescos, y Printers Alley es uno de los más famosos. Hace cien años era el centro de comercio de los impresores en Tennessee. Ya no están las imprentas, pero en la entrada aún queda un hermoso letrero antiguo que dice PRINTERS ALLEY. Es un lugar popular donde los turistas siempre se detienen a tomar fotografías.

Mientras arrastrábamos el equipo por Church Street, comencé a ponerme nerviosa.

—¿Dónde vamos a conectar el amplificador? —pregunté—. No importa si toco sin amplificador. "Tal vez sea mejor para que le gente no me escuche", pensé.

Mason me explicó que había arreglado el amplificador para que funcionara con baterías.

—Es portátil —dijo orgulloso— Y el micrófono también se conecta al amplificador.

—No te preocupes, Tenney. ¡Te podrán escuchar por toda la cuadra! —dijo Jaya.

—Genial —dije, pero mi corazón se aceleraba cada vez más.

Llegamos a Printers Alley y encontramos un lindo mural donde había espacio. Mason me enseñó cómo usar el pedal del amplificador para iniciar un ritmo electrónico de fondo.

Es como tu baterista —dijo—. Te ayudará a llevar la cuenta mientras tocas. ¿Estás lista? Conectó la pastilla de mi guitarra y prendió el amplificador y el micrófono.

Asentí, pero no sabía bien cómo empezar. Parada torpemente en el borde de la banqueta, me sentía invisible. La gente pasaba rápidamente y no me ponían atención ni a mí ni a mi guitarra. "¿Y si nadie se detiene a escucharme?", pensé. "¿O si se detienen pero no les gusta mi canción?". Se me hizo un hueco en el estómago. Puse mis dedos en las cuerdas de la guitarra, pero mis manos temblaban.

—Soy Tenney Grant — traté de decir, pero todo lo que sonó fue un golpe seco. No estaba en un escenario de verdad, pero me estaba dando pánico escénico.

Eché un vistazo a Mason y Jaya, y se veían preocupados. "Tranquilízate", me dije. Respiré profundo para quitarme los nervios, pero no sirvió de nada. Me quedé parada ahí, congelada.

Mason se acercó y apagó el micrófono.

—¿Estás bien? —preguntó.

—No —dije con tristeza—. Tal vez esto no fue una buena idea.

—Tenney, si quieres ser una cantante tienes que cantar —dijo Mason amablemente.

—No sé cómo empezar —dije en voz baja.

—¿Quieres que te ayude? —preguntó Mason.

Asentí y me alejé del micrófono.

Mason dio un paso adelante.

—Tan pronto termine —me dijo murmurando— comienzas con 'Carretera a Carolina'. Esa te la sabes al derecho y al revés, así que será muy natural.

—Está bien —dije limpiando las palmas de mis manos en mis *jeans*.

—Damas y caballeros, su atención, por favor —exclamó Mason abriendo las manos como un presentador de los viejos tiempos. Sólo le faltaba el esmoquin—. ¿Están listos para escuchar a una cantante increíble? ¿Lo están? —le dijo a una pareja que pasaba.

Se rieron y caminaron más lento.

—Bueno, pues hoy es su día de suerte —continuó Mason—, porque estoy ofreciendo boletos en primera fila para ver a la niña de doce años ¡más talentosa del país! Así que acompáñennos, pero tengan cuidado porque Tenney Grant está a punto de hacer temblar esta calle.

Se apartó del micrófono y yo me acerqué para tocar 'Carretera a Carolina.' Mientras mis manos volaban, me reí, y me dejé llevar por la emoción de tocar rápido. Justo antes de que comenzara la letra, cerré los ojos. Eso me ayudaba a concentrarme. Podía escuchar mi voz y controlar mi respiración.

«Esta carretera a Carolina está llena de senderos y caminos sin salida —canté— *Esta carretera a Carolina es demasiado oscura»*

A la mitad de la canción me sentí tan relajada que abrí los ojos. ¡Había una docena de personas viéndome! Verlos me dio un golpe de energía. Puse toda mi empeño en lo que faltaba de la canción. Cuando terminé, el público aplaudió. Me sonrojé e hice una pequeña reverencia. Cuando me levanté, vi a nuestra vecina, la señora Pavone, del otro lado de la calle. Levantó los pulgares, se ajustó sus enormes lentes morados, y continuó su camino.

Sonreí y empecé a hablar antes de que me pusiera nerviosa otra vez.

—La siguiente canción es totalmente nueva. Se llama 'Alcanzar el Cielo' —dije.

Esta vez, me obligué a ver al público mientras tocaba los primeros acordes. Imaginé a mi mamá viéndome en primera fila. Las personas del público me sonreían, y movían sus pies y su cabeza al ritmo de mi canción. Me sentía como en un sueño.

«Estoy plantada en la tierra, como una semilla que se aferra —canté— *Algún día estarás orgullosa de mí, creceré firme junto a ti»*

Terminé el primer verso y después el segundo. Con cada línea, en mi mente le decía a Mamá que la quería. Y de pronto, la canción se había terminado y el público estalló en aplausos. Sentí que una ola de emoción me inundaba. Quería que ese momento durara para siempre.

De camino a casa, Mason y Jaya hablaban con entusiasmo de mi presentación.

—¡Estuviste increíble, Tenney! —dijo Jaya.

Masón estuvo de acuerdo.

—¡Fue la mejor presentación del mundo!

Sonreí. Me sentía como un globo que flotaba alegremente.

—¡Estuvo increíble! —dije— ¡No puedo esperar para contarles a Mamá y Papá cómo me fue!

De repente, la sonrisa de Mason desapareció y se quedó callado. Sabía que algo no estaba bien.

— Tenney , la verdad es que... no saben que ibas a cantar —admitió.

—¡¿Qué?! —Jaya y yo gritamos al tiempo.

Mi emoción se convirtió en angustia.

—¡Pero me dijiste que Papá y Mamá estaban de acuerdo! —dije enojada mirando a Mason.

—No, dije que teníamos permiso para ir al centro —Mason me corrigió— Si les hubiera pedido permiso de que cantaras, no me hubieran dejado.

Son demasiado protectores.

—¿Por qué no me dijiste? —protesté.

—Porque no hubieras tocado y necesitabas hacerlo —dijo Mason—. Además, Papá y Mamá no tienen que enterarse.

Pasé saliva angustiada cuando recordé esos grandes lentes morados.

—De hecho...

Mason me miró.

—¿Qué?

—Mason, tenemos que decirles.

Le conté que había visto a la señora Pavone durante mi presentación. Mi hermano apretó los dientes.

—Está bien, pero si Papá y Mamá se enojan porque cantaste, es su problema, no el tuyo.

Fruncí el ceño. No estaba segura de que Mason tuviera razón, pero estaba segura de una cosa: si mis padres se enteraban de lo de Printers Alley por la señora Pavone, y no por nosotros, nunca me dejarían tocar otra vez.

—Tenney, ¿no tienes hambre? —dijo Mamá levantando una ceja desde el otro lado de la cocina.

—Eh... sí —dije comiendo un poco de chili, pero en realidad no tenía hambre. Estaba muy preocupada. "Quiero tener una carrera musical", pensé, "pero nunca seré una cantante profesional si no hago más presentaciones". Necesitaba el apoyo de Papá y Mamá. Tenía que decirles cómo me sentía, sin meter a Mason en problemas.

—Mamá, Papá —dije finalmente— quisiera que me dieran permiso de hacer más presentaciones.

"Tal vez si me dan permiso", pensé, "no se enojarán porque canté hoy".

Mamá y Papá se miraron.

—Vas a tocar en la kermés en unas semanas, ¿no? —señaló Mamá.

—Y Tri-Stars tocará el próximo mes en la recaudación de fondos para la biblioteca —añadió Papá—. Queremos que sigas siendo vocalista en un par de canciones. Podemos empezar a ensayar este fin de semana.

—Eso es genial, Papá, gracias. Pero quisiera presentarme más en solitario.

Antes de que mis padres se negaran, les dije:

—Me encanta tocar y he estado trabajando en mis canciones. Sé que no quieren que me presente en el show de Mockingbird Records, pero quiero presentarme en más shows de verdad.

—Cariño, ya hablamos de esto —dijo Mamá con voz firme—. Eres demasiado joven y ya tomamos una decisión.

—Ajá —dijo Aubrey.

—Aubrey, no te metas en esto —le advirtió Mamá amablemente.

Mi pecho se llenó de rabia y dolor, pero traté de mantener la calma. Miré a mi hermano y en silencio le pedí que me apoyara.

Mason se aclaró la garganta y dijo:

—Deberían escuchar la nueva canción que compuso Tenney. Es fantástica. ¡Como para grabarla!

Mamá comió un poco de ensalada y asintió.

—No estoy bromeando —le dijo Mason.

—Sé que no es broma —dijo Mamá.

Mamá se acercó y puso su mano sobre la mía.

—Tenney, sé que quieres ser cantautora, pero...

—No, Mamá, ¡ya soy una cantautora! —dije

rápidamente— Cuando toqué mi canción hoy a la gente le encantó.

Mamá parpadeó como cien veces en un segundo.

—¿Qué? ¿Hoy? ¿Dónde tocaste? —preguntó.

Mason me rogaba con la mirada que no dijera nada, pero tenía que ser sincera.

—En Printers Alley —dije—. Pero Mason y Jaya estuvieron conmigo todo el tiempo. ¡Estaba a salvo!

La cara de Papá se puso roja como un tomate y Mason quería que se lo tragara la tierra.

—Lo hice muy bien. Puedes preguntarle a Mason y a Jaya —insistí aferrándome a mi argumento—. Sé que quieren que espere hasta que sea más grande, pero soy buena en esto ahora. Y quiero mejorar, pero no puedo hacerlo si no hago más presentaciones.

—Ya escuchamos demasiado —dijo Papá.

—Los dos saben que necesitan permiso antes de hacer cualquier presentación —dijo Mamá—. Por lo tanto, están castigados hasta nuevo aviso.

—No castiguen a Tenney —dijo Mason—. Ella pensaba que teníamos permiso.

—Debía saber que no —dijo Papá.

Miré mi vaso tratando de no llorar. No funcionó. Salí corriendo de la cocina mientras las lágrimas rodaban por mis mejillas. Mientras subía las escaleras, no pude evitar sentir ese horrible sentimiento en la boca del estomago que me decía que todo estaba arruinado.

UNA SEGUNDA OPORTUNIDAD

Capítulo 13

En cuanto llegué a mi cuarto, me acurruqué en mi cama y lloré. Grandes gotas de desilusión corrían por mis mejillas. Odiaba llorar, aunque a veces eso me hacía sentir mejor.

De mi mesita de noche levanté un frasco lleno de plumillas de guitarra. Comencé a coleccionarlas después de mi primera clase de guitarra en la tienda de Papá. Desde ese entonces, cuando alguien de mi familia encontraba una, me la daba para mi colección. Tenía plumillas de tiendas de música y fabricantes de guitarras, y algunas que promocionaban artistas o discos. Cuando las veía, solía recordar a cuánta gente alcanza la música. Sin embargo, en ese momento sólo me provocaban tristeza. Así como el vinilo de 78 RPM con 'Hound Dog' que Mamá me había regalado en mi octavo cumpleaños, y que estaba sobre mi cabecera.

Me preguntaba por qué mis padres me enseñaron a tocar un instrumento si no me iban a dejar hacer presentaciones. Me senté y me sequé las lágrimas. "No te sientas mal", me dije. "Haz algo".

Rodé hasta el otro extremo de mi cama y levanté mi guitarra de batalla. Me dejé llevar y saqué una melodía con tristeza y enojo, todo lo que sentía en ese momento. Mientras tocaba, sentí que mis emociones fluían hacia la guitarra. Era como si la música expresara lo que yo no podía decir. Había tocado por unos minutos cuando Aubrey abrió la puerta. Me miró con rabia y cruzó el cuarto hasta su vestidor.

—Ahora Mamá y Papá están peleando. Bien hecho —dijo mientras sacaba su pijama.

No le respondí. Desde mi cuarto podía escuchar los murmullos de mis papás discutiendo.

—No debiste mentirles —dijo Aubrey.

—No les mentí —contesté molesta. Mi boca comenzó a temblar como si fuera a llorar otra vez— Les dije la verdad. Sólo quería una oportunidad para tocar mi música.

Froté mis ojos rápido para detener las lágrimas.

Cuando volteé, Aubrey miraba al piso, sabía que se sentía mal por haberme hecho llorar.

—Si por mí fuera, te dejaría tocar —dijo—. Tus canciones son muy buenas.

—Gracias —dije sin ilusión.

Aubrey me abrazó y se fue a acostar.

En ese momento no podía dormir, así que tomé mi guitarra, apagué la luz y me salí.

Mientras bajaba de puntitas por las escaleras, pude escuchar a mis padres hablando en la sala, sus voces estaban más calmadas que hacía media hora.

Mamá suspiró.

—Ray, sabes lo que el negocio de la música le puede hacer a la gente.

—Tenney nos tiene para protegerla, Georgia —dijo Papá—. Podemos guiarla y apoyarla, y si es necesario, podemos decir que no. Todo lo que digo es que tal vez nuestra decisión es demasiado extrema. Tocar en el show no significa que tiene que hacer una carrera profesional.

Una parte de mi quería seguir escuchando, pero no quería que mis papás se dieran cuenta. Me escabullí por la cocina y en silencio salí por la puerta del pórtico. Waylon caminó lentamente hacia mí mientras me sentaba en los escalones y observaba el jardín, tratando de dejar atrás ese día tan triste. La noche estaba fresca y silenciosa. Vi el destello de una libélula revoloteando sobre el pasto.

Apoyé la guitarra en mis piernas. Puse mis dedos en las cuerdas y toqué nuevamente la canción que había tocado en mi cuarto, esta vez un poco más despacio y más suave. «*La-la-la-...* —canté— *Laa-la-la...*»

Detrás de mí, escuché el sonido de la puerta. Dejé de tocar y miré por encima de mi hombro. Mamá me estaba viendo desde la entrada.

—Perdón —dijo—. No quise asustarte.

—Está bien —dije—. Sólo estaba ensayando una idea.

Mamá se sentó a mi lado y acarició a Waylon detrás de las orejas.

—¿Tocarías algo para mí? —preguntó.

Aún me sentía muy herida, pero tenía muchas ganas de tocar para ella. Respiré profundo y comencé a tocar 'Alcanzar el Cielo'. A la mitad de la introducción volteé a ver a Mamá. Me miraba atentamente con una amable sonrisa. Una ola de timidez me inundó. Observé el patio, el verde pasto y la libélula danzante, y comencé a cantar.

Estoy plantada en la tierra
Como una semilla que se aferra
Algún día estarás orgullosa de mí
Creceré firme junto a ti
¿A crecer me enseñarás?

Seré yo misma, no más
Alcanzar el cielo es mi gran sueño

Soy joven, lo sé
Bajo tus alas me protegeré
Pero algún día creceré
Y libre volaré
¿A cantar me enseñarás?

Seré yo misma, no más
Alcanzar el cielo es mi gran sueño

Dejé que la canción flotara en el fresco aire de

la noche, sentía cada palabra. Tropecé un par de veces en la parte difícil del puente, pero continué.

Sé que me quieres resguardar
En la seguridad de nuestro hogar
Pero mis sueños quiero cumplir
No te puedo mentir

Seré yo misma, no más
Alcanzar el cielo es mi gran sueño

No miré a Mamá hasta que terminé. Sus ojos estaban llenos de lágrimas.

—¿Por qué estás triste? —dije preocupada.

—No estoy triste, estoy orgullosa —dijo limpiándose los ojos— Eres fantástica, Tenney. Puedo ver lo mucho que significa esto para ti.

Estuve a punto de decirle a Mamá que ella me había inspirado para escribir la canción, pero no quería que pensara que por eso se la había cantado. Sin embargo, quería que supiera cómo me sentía.

—Sé que tú y Papá quieren lo mejor para mí —le dije—, pero no puedo ocultar lo que siento.

Lo que más quiero hacer en este mundo es tocar.

Mamá asintió y se quedó pensando por un largo rato.

—Cariño, una carrera musical requiere tiempo y sacrificio, y nada es justo en la industria de la música —dijo—. Eso me causó mucho dolor.

—¿Qué quieres decir? —pregunté— Cuéntame qué pasó.

Mamá hizo un gesto con la boca. Me di cuenta de que estaba tratando de ver cómo decir lo que me quería decir.

—Cuando tenía tu edad, mi mamá tenía muchas esperanzas puestas en mí —dijo finalmente—. Estaba convencida de que yo sería una gran estrella y ese era su gran sueño.

—¿Y tú no querías? —dije.

Mamá sonrió con un poco de amargura.

—Yo era como tú. Quería escribir canciones y compartirlas con la gente que amaba la música tanto como yo —dijo—, pero mi mamá quería algo más para mí. Me presionó mucho. Cuando cumplí dieciséis, me llevó con algunos productores y hubo uno que quiso contratarme. Nos pagó unos cuantos miles de dólares para grabar un sencillo.

—¿Tu demo?

—Sí , excepto que cuando llegué al estudio, la canción que tenía que grabar no era mía, era otra canción que no me gustaba. No era yo.

—Oh.

—Mi mamá me presionó para terminar el demo. Así que lo hice —dijo Mamá—. Pero después le pregunté al productor por mis canciones. Dijo que teníamos que esperar, pero que mientras tanto necesitaba teñirme el cabello de rubio, perder cinco kilos y comenzar a usar zapatos de tacón.

Fruncí el ceño, confundida.

—¿Eso qué tiene que ver con la música?

Mamá se rió.

—¡Eso fue lo que dije! —contestó— Resultó que para el productor el negocio de la música era más 'negocio' que 'música'. En otras palabras, sólo quería hacer dinero conmigo, y pensó que podría obtener más dinero si cambiaba mi forma de ser.

—¿Y qué hiciste? —pregunté.

—Me teñí el cabello como por cinco minutos —dijo Mamá—. Me veía muy mal, pero me ayudó a decidir que lo mejor era ser yo misma. Lo cual fue bueno también, porque después de todo, el productor decidió que yo no tenía "material para ser una estrella". Eso no me molestó para nada, pero cuando le pedí mis canciones, dijo que eran propiedad de la disquera.

Resoplé enojada.

—¿Eso es verdad? —pregunté.

Mamá asintió.

—Mi mamá le había cedido los derechos en el contrato que firmó —dijo—. Y después se puso peor. Escribí otras canciones y me reuní con otras disqueras. Pero todos sabían quién era. Descubrí que el productor había dicho que era difícil trabajar conmigo, así que nadie quiso contratarme.

Negué con la cabeza.

—¡Eso es injusto! ¿Cómo pudo salirse con la suya?

—Hoy en día no creo que pudiera —dijo Mamá—. Pero en ese entonces era un hombre muy poderoso.

Tomé la mano de Mamá. Por primera vez entendía por qué estaba tan preocupada de que yo entrara en el negocio de la música.

—Lamento mucho que te haya pasado eso —dije.

Mamá me abrazó.

—Eso fue hace muchos años, pero me tomó un tiempo recuperarme. Y por supuesto no quiero que te pase algo así a ti o a tu música . Pero también veo lo talentosa que eres, y está claro que entre más creces, más te gusta la música.

Mamá hizo una pausa y luego continuó.

—Sé que has estado trabajando mucho en tus canciones, aunque te dijimos que no podías presentarte en el show —respiró profundo y luego dijo:—. Lo he pensado mucho y creo que es injusto que no te deje avanzar sólo porque tengo miedo de que tengas que enfrentarte a desilusiones en tu carrera musical. Si no te dejo hacer lo que amas, vas a culparme y tendrás la razón. Tu papá también me recordó que podemos ayudarte para asegurarnos de que tú y tu música estén más protegidas de lo que yo estuve.

Asentí, pero aún estaba confundida.

—¿Qué me quieres decir? ¿Sigo castigada?

Mamá me sonrió.

—Creo que Mason y tú aprendieron la lección

y estoy muy contenta de que me hayas dicho la verdad, pero no queremos que se vuelvan a escapar para hacer una presentación. Entonces, lo que en realidad quiero decir, es que tu papá y yo hemos decidido que te dejaremos presentar en el show de Mockingbird Records, mientras nos prometas que te lo tomarás con calma y no dejarás que las presentaciones te alejen de lo que es realmente importante: tu familia, tus amigos y tu escuela.

Estaba en shock, traté de hablar pero sólo salió un gritito de emoción. La abracé fuerte.

—Espero que ese ruido sea de felicidad —dijo con una risita.

—Te prometo que estarás muy orgullos a de mí —dije.

Puso mi cara entre sus manos y dijo:

—Ya lo estoy.

NADA ESPECIAL

Capítulo 14

Ese fin de semana sólo me separé de mi guitarra para comer, dormir y hacer la tarea. El domingo por la tarde ya sentía mis dedos lastimados de tanto tocar. Me dolía la espalda y estaba cansada, pero me estaba casi lista.

El lunes, en cuanto llegué a mi casillero, Jaya me examinó con preocupación.

—Parece como si hubieras visto diez conciertos de Taylor Swift seguidos —dijo—. ¿Tus papás se enojaron mucho por lo de Printers Alley?

—¡Ay, no! Estuve tan ocupada practicando que se me olvidó llamarte.

Le conté todo, desde cuando nos castigaron, pasando por el momento en el que toqué la canción para Mamá hasta que me enteré que podía presentarme en el show.

—¡No te creo!—dijo Jaya.

—¡Es verdad! Aunque yo tampoco termino de creerlo. Esta puede ser mi única oportunidad de tocar en el Bluebird. Tengo que demostrar que soy buena —dije mientras entrábamos al baño de niñas.

Jaya puso sus manos en mis hombros.

—Tenney, te invitaron para presentarte en un show profesional ¡organizado por Mockingbird Records en el Café Bluebird! Yo diría que ya demostraste que eres buena. ¡¿Que tal si te dan un contrato para grabar un disco?!

—Todos los que se van a presentar esperan eso.

—Pero no son Tenney Grant —dijo Jaya.

La confianza que Jaya tenía en mí me hacía sentir que podía lograr cualquier cosa.

La puerta de uno de los baños se abrió detrás de nosotras. Holliday Hayes caminó hacia el lavamanos, mirándome por el espejo, y soltó una risita.

—¿De qué te ríes? —Jaya preguntó enojada

—De nada —Holliday encogió los hombros—. Sólo creo que es tonto que pienses que Tenney tiene oportunidad con una discográfica, es todo.

—¿Tú qué sabes? —Jaya replicó— Nunca has

escuchado cantar a Tenney.

Holliday encogió los hombros y cuando me miró, sus ojos azules brillaron como diamantes helados.

—Mi papá es el director de una disquera. Sé lo difícil que es triunfar en la música. Eres Tenney Grant, no Taylor Swift. No eres nada especial, y apuesto a que tu música tampoco —dijo Holliday.

Mi cara estaba roja, pero mantuve la calma.

—Simplemente voy a tocar mi música y a dar lo mejor de mí —contesté.

—Buena suerte —dijo Holliday, pero el tono de su voz dejaba claro que no lo decía en serio. Nos empujó cuando salía del baño.

Me quedé inmóvil, sentí como si hubiera pisoteado mi corazón con sus tenis de tela escocesa.

Jaya se paró frente a mí, sus ojos estaban llenos de furia.

—Tenney, no prestes atención a las tonterías que dice Holliday. Eres la única e incomparable Tennyson Evangeline Grant y vas a hacerlo de maravilla.

Mientras Jaya me abrazaba, yo intentaba creer lo que me había dicho.

VOLTERETAS Y MARIPOSAS

Capítulo 15

La mañana del show, me despertó el dulce olor de los panquecitos de mora azul recién hechos.

De repente recordé: "esta noche voy a cantar en el Café Bluebird". Una ola de emoción me inundó. Después escuché las palabras de Holliday dando vueltas en mi cabeza. "No eres nada especial, y apuesto a que tu música tampoco lo es".

¿Tenía razón Holliday? ¿Qué tal si arruinaba mi presentación? ¿Qué tal si lo hacía genial, pero no les gustaba mi canción?

Decidí que tenía que practicar un poco más. Así que me sacudí las preocupaciones y bajé las escaleras hacia la cocina.

—Te levantaste temprano —dijo Mamá, levantando del fregadero una espátula llena de jabón—. Los panquecitos estarán listos en unos minutos.

Le di un beso de buenos días.

—Gracias, pero estoy muy nerviosa y no puedo comer ahora. Voy a practicar un rato.

Mamá asintió comprensivamente.

—Sólo asegúrate de no tocar muy fuerte para que no despiertes a Aubrey y a Mason.

Fui a la sala y antes de sentarme con las piernas cruzadas frente al sofá, tomé mi guitarra del soporte. Respiré profundo para calmar mis nervios, y toqué algunas escalas para calentar. En pocos minutos mi estómago y mi mente se habían tranquilizado.

Durante toda una hora toqué 'Alcanzar el Cielo'. Practiqué las progresiones de los acordes y trabajé en las partes que me costaban trabajo. Finalmente, Mamá me trajo un panquecito y me convenció de tomarme un descanso.

Papá se asomó desde la cocina.

—Gracias a dios dejaste de tocar —dijo.

—¿Por qué? —pregunté confundida.

—Porque tengo algo mejor para que practiques. Papá entró a la sala con un estuche de guitarra en la mano.

—¿Qué es eso? —pregunté.

Papá sonrió y puso el estuche frente a mí. Pasé mis dedos sobre la suave superficie. Los cierres a presión eran de latón y parecía como si nunca los hubieran tocado.

—Adelante, ábrelo —dijo Papá.

Abrí los broches, levanté la tapa y suspiré. Era mi guitarra favorita; la Taylor mini de la tienda de Papá. Su color aguamarina sobre el terciopelo rosa del estuche me dejó sin aliento.

—Papá, esto es demasiado para mí.

—Vas a tocar en un show profesional —dijo Mamá abrazando a Papá—, así que necesitas una guitarra profesional. Vamos, pruébala.

La saqué y toqué los primeros acordes de mi canción. Sonaba más limpia, más clara y más profunda que mi guitarra de batalla. Al tocarla me sentía como si pudiera volar.

—¡Es increíble! —dije abrazándolos— ¡Gracias!

—Esta es una muy buena oportunidad para ti como artista, Tenney —dijo Papá con seriedad—. No sabemos quién te estará escuchando esta noche en el Bluebird.

—Lo sé —dije.

Otra vez mi estómago daba vueltas por los nervios. Tener una guitarra profesional significaba que no tenía excusa para sonar mal en el escenario.

Por cuatro horas, ensayé en el pórtico con mi nueva guitarra. Por supuesto, ya la había tocado antes, pero presentarme con ella era diferente. Las cuerdas estaban más tensas que las de mi guitarra de batalla y tuve que ajustar la posición de mi mano izquierda para rodear el mástil, que era más ancho.

"Tal vez no deba usarla en el show", pensé, pero deseché la idea. Mis padres me habían dado la guitarra de mis sueños. Tenía que tocarla.

A medida que avanzaba el día, traté de mantenerme ocupada leyendo, ayudando a Mamá en la cocina y jugando con Aubrey, pero no podía concentrarme. El show era en un par de horas y no podía pensar en otra cosa.

—Tierra llamando a Tenney —dijo Aubrey moviendo las manos frente a mi cara—. Te toca.

Bajé la mirada y vi nuestro juego de gato, que tenía tres equis en línea.

—Ganaste —dije—. ¿Qué hacemos ahora?

Aubrey se animó. Tenía una idea y sus ojos brillaban.

—¡Vamos a prepararnos para tu show! —dijo.

Durante varias semanas había pensado en el show, pero no había pensado en qué me iba a poner. Cuanto subimos las escaleras me di cuenta de que Aubrey sí había pensado en eso. En minutos, me sacó algunos atuendos para que me los probara: un vestido rosa con mangas abombadas y una de sus tiaras, un vestido de lentejuelas muy lujoso que solía usar cuando Jaya y yo jugábamos a disfrazarnos, y una blusa de cachemira y encaje con una falda de tul brillante.

—Tienes que probarte este —insistió Aubrey levantando el vestido rosa.

Era su estilo, no el mío. Tenía holanes y picaba, odié cuando lo usé en el bautizo de mi primo el año pasado. Por suerte ahora me quedaba chico. Y el vestido de lentejuelas estaba deshilachado y enseñaba mucho. Eso sólo me dejaba como opción la blusa de encaje y la brillante falda de tul. Mamá me los había comprado con la esperanza de que los usara en una presentación de Tri-Stars, pero eran demasiado elegantes para nuestros shows en East Park y en la biblioteca. Di vueltas mientras me veía en el espejo. Eran perfectos para el show.

Aubrey me observó.

—Le hace falta algo.

—¿Como qué? —pregunté cautelosamente. No pensaba usar su tiara.

—Como esto —dijo Aubrey sosteniendo una pequeña caja envuelta en papel rosa— Ábrelo.

Saltaba nerviosa mientras yo rompía el papel. Dentro de la caja había una hermosa peineta cubierta con plumillas de guitarra, estaban pegadas con tanto cuidado que parecían pequeñas plumas.

—¡Wow! ¿Dónde lo compraste? —pregunté.

—¡Yo lo hice! —dijo Aubrey— Estuve juntando plumillas igual que tú. ¿Te gusta?

—¡Me encanta! —dije y la abracé.

—Ya quiero oírte rockear —dijo Aubrey. Eso me hizo reír.

—Yo también —dijo Mamá sonriendo desde el

pasillo con un par de tubos calientes en sus manos.

Aubrey observó cómo Mamá colocaba mi cabello en los tubos y luego lo cepillaba en largas capas. Luego me puso la peineta que me regaló Aubrey para que detuviera una parte de mi cabello. Después me puso espray y hasta un poco de brillo en los labios.

—Para que no desaparezcas bajo las luces —dijo dando unos toques finales a mi cabello.

Aubrey siguió a Mamá por las escaleras, y yo me quedé viéndome por última vez en el espejo. Casi no me reconocía. Parecía como una pequeña estrella de cine con un atuendo reluciente, maquillaje, el cabello suelto y una peineta.

"Dentro de una hora estaré en el escenario del Bluebird".

Se me hizo un nudo en el estómago, pero inhalé profundo y le sonreí a la niña del espejo.

"No te preocupes" le dije en mi mente. "Es sólo la falta de costumbre".

EL CAFÉ BLUEBIRD

Capítulo 16

El Café Bluebird es un pequeño club escondido entre las tiendas del centro comercial. Si no sabes que es uno de los clubes de música más famosos de Nashville, ni siquiera lo notarías.

Papá entró a un estacionamiento cercano que estaba muy lleno y encontró un lugar. Faltaba media hora para que comenzara el show, pero el lugar ya estaba lleno de gente ocupando las mesas. Había una fila de micrófonos recargados en la pared de un escenario bajito, que estaba iluminado con un letrero de neón. El Bluebird no era grande ni lujoso como el Auditorio Ryman, pero estaba muy emocionada por tocar en cualquier lugar.

El anfitrión nos llevó a una mesa reservada a un lado del escenario. Me senté mirando hacia la entrada del club. El show era sólo para artistas e invitados especiales. Ellie le dijo a mi mamá que podía llevar a mi familia y a un amigo, así que invité a Jaya. Poco después la vi entrar por la puerta principal. Capté su atención y la saludé.

—¡Este lugar es genial! —dijo Jaya mirando alrededor. Luego se desabrochó su abrigo verde brillante revelando una playera morada que decía '¡Tenney es la mejor!' escrito con mi letra especial.

—¡Linda playera! —dije.

—¡Yo la hice! —dijo Jaya— ¿De qué otra forma la gente sabría que soy tu mayor admiradora?

La puerta se abrió otra vez y entró Ellie Cale junto a un hombre de cabello gris con un sombrero *pork pie*. Ellie me sonrió y guió al hombre hasta nuestra mesa.

—¡Tenney! Estoy tan contenta de que vayas a presentarte esta noche —dijo.

—Yo también —mi voz sonaba lejana, como si no estuviera en el lugar.

—Él es mi tío Zane, el jefe de Mockingbird Records —dijo Ellie.

Zane Cale me saludó y después se presentó con mi familia. No parecía el jefe de una gran disquera, se veía como el tío divertido que toca el ukulele. Usaba unas botas vaqueras de color rojo y una corbata de bolo con la forma del estado de Texas. Su cabello gris se mantenía dentro de su sombrero, como si estuviera electrificado, pero su ojos eran cálidos y reflexivos mientras me miraba.

—Escuché que tienes doce años —dijo lentamente.

—Sí —contesté.

—¿Qué tipo de música te gusta? —preguntó.

—Un poco de todo —dije—. Pero más que nada, cantautores.

—Eso es bueno porque en Mockingbird amamos a los cantautores —contestó.

—Entonces espero que le guste mi canción, Señor Cale —dije sonrojada.

—Eso espero —dijo—. Y mis amigos me llaman Zane. Me guiñó el ojo y se metió entre el público.

—¿Quiere contratar nuevos artistas? —Mason le preguntó a Ellie.

—Siempre está buscando —dijo Ellie con un brillo en sus ojos. Volteó hacia mí y señaló una fila de sillas a un lado del escenario donde un grupo de músicos afinaban sus guitarras—. Tenney, cuando estés lista, debes ir a sentarte con los demás artistas.

Miré al grupo de músicos. La mayoría tenía al menos veinte años. Ellie apretó mi hombro y se fue.

Mamá me miró.

—¿Estás bien? —preguntó frunciendo el ceño.

Me di cuenta de que estaba aguantando la respiración. Asentí dejando salir el aire rápidamente. De repente sentí mucho calor, hasta mis pies estaban sudando. Me agaché para atar las correas de mis zapatos nuevos.

—Creo que tus botas vaqueras están en la camioneta. ¿Las quieres? —Mamá preguntó.

—Tal vez sea buena idea —dije.

Esperé en la entrada mientras Mamá iba por mis botas Apenas se acababa de ir cuando la puerta se abrió y Portia entró recargándose en su bastón de madera, llevaba un poncho morado.

—¡Portia! ¿Qué está haciendo aquí? —grité.

En su cara apareció una gran sonrisa.

—Un pajarito me dijo que ibas a tocar aquí esta noche —dijo— ¡No podía perderme tu gran presentación! Mírate, qué elegante.

—Qué bueno que vino —le dije con una sonrisa.

Estaba a punto de preguntarle cómo había conseguido un boleto para entrar cuando gritó:

—Este lugar está más apretado que un saco lleno de liebres —dijo riendo.

Solté una risita y vi a Ellie acercarse hacia nosotros. Pensé que me pediría otra vez que me sentara con los músicos, pero me sorprendió cuando le dio un gran abrazo a Portia.

—¡Portia! —dijo sonriendo— ¡Dichosos los ojos que te ven! ¿Cómo te sientes?

—Todavía estoy usando esta cosa —dijo Portia golpeando su bastón— pero ya estoy mejor. Vine para ver la presentación de Tenney —continuó mientras me miraba.

—¡No sabía que se conocían! —exclamó Tenney.

Antes de que pudiera preguntarles cómo se conocían ellas, Ellie entrelazó su brazo con el de Portia y le dijo:

—Ven conmigo. El tío Zane está en una de las mesas. Estará muy contento de verte.

—Vamos —respondió —Nos vemos después, Señorita Tenney —me dijo—. Acábalos por mí.

Para cuando Mamá regresó con mis botas, el lugar estaba tan lleno que no podía ver a dónde habían ido Portia y Ellie.

Mamá me ayudó a ponerme mis botas y regresamos a nuestra mesa. Papá tenía mi nueva guitarra.

—Faltan casi cinco minutos —dijo Papá entregándomela— Es hora de que vayas con los otros artistas.

Había llegado el momento. Los abracé uno por uno, y me desearon suerte.

Mamá se agachó para que su cara estuviera a la altura de la mía.

—Vas a hacerlo muy bien —susurró— Sólo sé tú misma ¿sí?

—Sí —le dije, y caminé hasta mi lugar.

Sólo quedaba una silla vacía entre una niña pelirroja y un hombre chaparrito con patillas. Los minutos antes de que empezara el show me parecieron una eternidad. Afiné mi guitarra e hice calentamiento vocal. Mientras los otros artistas platicaban, pude escuchar algunas de sus conversaciones.

—Vendí los derechos de esa canción, pero no me contrataron... desde mayo he estado cantando los acompañamientos de Miranda para poder pagar las cuentas. Se supone que el próximo mes voy a tocar en algunos clubes de Europa...

La chica que estaba a mi lado calentaba con su banyo, la plumilla de su mano ejecutaba arpegios a la velocidad de la luz.

"Estos son músicos reales", pensé. "Y yo sólo soy Tenney Grant". Las mariposas en mi estómago dejaron de revolotear y comenzaron a pelear.

"Tranquilízate", pensé. Miré a mi alrededor para encontrar algo con qué distraerme. Mis ojos se fijaron en un letrero de RESERVADO que estaba en una mesa vacía frente al escenario. Inhalé y cerré los ojos.

Debí mantenerlos cerrados.

Una elegante mujer rubia se dirigía a la mesa reservada. Detrás de ella, con unas perfectas botas vaqueras color lavanda, estaba Holliday Hayes.

"Oh no..." Quería hundirme en mi silla y desaparecer.

Las luces del café se apagaron y se prendieron

las del escenario. Ellie subió los escalones y caminó hasta el micrófono.

—¡Hola a todos! —dijo— ¡Gracias por venir!

Presentó al primer músico y comenzó el show.

Me obligué a no mirar a Holliday. "Concéntrate en la música", pensé mirando al escenario.

Mi estrategia funcionó con los dos primeros cantautores, pero casi al final de la tercera presentación, un hombre con una gran barba y una canción rápida y agresiva hizo que mi mirada se desviara.

Holliday me estaba mirando con sus fríos ojos azules.

De repente, todo era incómodo. Mi vestido me picaba, la peineta que me había regalado Aubrey se sentía como un peso enorme en mi cabeza y las palabras de Holliday resonaban como un eco: "no eres nada especial, y apuesto a que tu música tampoco lo es".

Escuchaba sus palabras en mi cabeza mientras la niña pelirroja cantaba sobre su ex novio infiel, y cuando terminó, el público comenzó a aplaudir. Hicieron eco mientras recogía mi guitarra y me subía al escenario para cantar.

En el escenario, las luces se sentían calientes y brillantes, como las del Ryman. Esta vez en lugar de sentirme emocionada, me sentía mareada. Miré al público, pero sólo podía ver oscuridad.

—Soy Tenney Grant —dije. El micrófono se distorsionó y yo di un salto sorprendida. Escuché un grito de apoyo que sonaba como Mason. Acerqué mi guitarra y la conecté. Después ajusté el micrófono y comencé a tocar.

Al principio estaba fuera de tiempo. El ritmo era muy rápido. Pasé mi peso al otro pie, tratando de desacelerar. En ese momento se me cayó la plumilla. La guitarra vibró y se detuvo.

—Lo siento —murmuré. Mientras me agachaba para recoger la plumilla, mi cara estaba roja.

"Tranquilízate, tranquilízate".

—Bien —dije.

Comencé otra vez. Esta vez toqué la introducción y cuando iba a cantar el primer verso, me di cuenta. La cuerda de La sonaba aguda. De pronto todo sonaba mal.

—Lo siento —dije nuevamente y me detuve.

Me quedé parada ahí, congelada, mirando la oscuridad frente al escenario.

¿Acababa de arruinar la oportunidad más grande de mi vida?

SINTIENDO EL CALOR

Capítulo 17

Bajo las luces del escenario, sentía como si mi piel estuviera quemándose. Miré las estrellas agrupadas en los trastes de mi guitarra, pidiéndoles ayuda. En algún lugar, alguien del público murmuró preocupado. Apreté mis ojos con la esperanza de que cuando los abriera, estuviera en mi cuarto y que esto fuera un sueño. Pero cuando lo hice, recordé las palabras de mi mamá "sólo sé tú misma".

Algo en mí se reconectó. Tal vez había arruinado una parte de la presentación más importante de mi vida, pero todavía no se terminaba.

—Lo siento, amigos, problemas técnicos —dije afinando mi cuerda. Unas cuantas personas se rieron.

Vi una silla en la esquina del escenario. La tomé y la llevé hasta donde estaba el micrófono.

Bajé el micrófono y me senté en la silla con una pierna cruzada para colocar mi guitarra sobre ella. Por fin me sentía cómoda, por fin era yo.

Me acerqué a mi guitarra y comencé nuevamente la canción. Después de la introducción, miré al público. Mis ojos se habían acostumbrado y ahora podía ver a la gente, incluso a Holliday. De repente la vi muy lejos y ya no me molestaba que estuviera ahí. Lo único que quería era cantar.

«Estoy plantada en la tierra, como una semilla que se aferra. Algún día estarás orgullosa de mí, creceré firme junto a ti. ¿A crecer me enseñarás?»

Miré a mi familia. Mamá estaba junto a Papá, y se veía orgullosa. Fijé mi mirada en la suya, y con todo mi corazón canté el coro.

«Seré yo misma, no más. Alcanzar el cielo es mi gran sueño»

Cuando comencé el siguiente verso, por primera vez desde que me subí al escenario, escuché mi voz. Mi voz sonaba como la de mi mamá, era fuerte, clara e inquebrantable. Toqué el coro y después el puente, mis dedos bailaban sobre los trastes. Había tocado mi canción mil veces, pero en ese momento sentía como si la estuviera escuchando por primera vez. Cada nota me hacía feliz.

Finalmente toqué los últimos acordes, y quité mis dedos de las cuerdas para hacer que el final estallara. Por un momento todo lo que escuché fue silencio. Después los aplausos me llegaron como una ola. Algunas personas se pusieron de pie. Me quedé asombrada. ¡Les había gustado!

—Muchas gracias —dije.

Cuando terminó el show, mi familia y Jaya me llenaron de abrazos.

—¡Eres genial! —dijo Aubrey.

—¡Me encantaron los cambios que le hiciste al segundo verso! —dijo Mason.

—Ojalá no me hubiera equivocado al principio —dije.

—No se trata de cómo empezaste sino de cómo terminaste —dijo Mamá, y Jaya asintió.

Esperaba que tuvieran razón.

Miré a mi alrededor, y le dije a Mamá:

—Ahora vuelvo. Quiero ver a Portia.

Me metí entre la multitud estirando mi cuello. Cuando por fin la encontré, estaba hablando con la chica pelirroja.

—Es un honor conocerla —dijo la chica mientras apretaba la mano de Portia.

—Encantada —dijo Portia, se veía un poco incómoda. Me vio y me guiñó el ojo.

Le sonreí, pero antes de que pudiera unirme a la conversación, sentí que una mano tocaba mi codo. Me di la vuelta y vi a la mamá de Holliday sonriéndome. Holliday estaba detrás de ella, haciendo caras como si hubiera chupado un limón.

—¡Estuviste maravillosa, Tenney! —dijo con entusiasmo la señora Hayes— ¡Tienes mucho talento!

—Gracias —le dije.

—Puedo reconocer a una estrella cuando la veo, y tú serás una —dijo. Después dio la vuelta para ver a su hija— Holliday, tal vez si no hubieras dejado de practicar, podrías haber estado en ese escenario con Tenney.

Holliday se puso roja.

—Desde que tenía siete años, Holliday quería ser cantante de música country —dijo la señora Hayes—. Pero no le gustaba tocar la guitarra y en las clases de canto no le iba muy bien.

—¡Mamá! —exclamó Holliday.

—Está bien, cariño. No es tu culpa que no tengas buen oído —dijo la señora Hayes dándole palmaditas en la espalda.

Holliday miró al piso como si quisiera que se la tragara la tierra.

De pronto, me sentí mal por ella.

—Holliday es buena para otras cosas —le dije a la señora Hayes. Luego miré a Holliday— Como por ejemplo, planeando la kermés. Estás haciendo un gran trabajo.

Holliday me miró como tratando de entender por qué estaba siendo tan amable.

—Gracias —murmuró finalmente.

Me despedí y fui a la mesa donde Zane estaba hablando con mis papás.

—¡Tenney! —dijo cuando me vio— Muy buena canción.

—Gracias —dije. Mi corazón palpitaba a mil por hora.

—Disfruté mucho tu presentación —dijo Zane—. Tengo que ir a saludar a algunas personas, pero después me gustaría sentarme a hablar contigo y tus padres. ¿Está bien?

Estaba más que bien. Este era el momento que estaba esperando.

Mason llevó a Jaya y a Aubrey a casa mientras mis padres y yo nos encontramos con Zane en un restaurante cercano. Durante todo el camino me sentí ansiosa. Era como si estuviera en un sueño, incluso cuando mis padres y yo nos sentamos frente a Zane. No podía creer que estuviera ahí, preparándome para hablar con Zane Cale sobre ¡cantar para Mockingbird Records! Después de todo, ¿por qué otra razón nos había pedido que nos reuniéramos, si no era para darme un contrato?

—Gracias por venir —dijo Zane tomando un poco de su café.

—No, gracias a usted —dije— Estoy muy emocionada de estar aquí.

Miré a Mamá y pensé "¿qué tal si Zane me ofrece un contrato y ella dice que no?". Pero mis preocupaciones desaparecieron cuando Mamá me apretó la mano bajo la mesa.

Zane se mecía pensativo.

—Tenney, ¿qué te pasó al principio de tu presentación? —preguntó ladeando la cabeza.

Mamá y Papá se se inquietaron. Papá comenzó a decir algo, pero Zane Cale levantó la mano.

—Le estoy preguntando a Tenney —dijo amablemente.

—Mmm... estaba nerviosa y no me sentía yo misma —dije.

Zane Cale asintió mirándome. Sus ojos eran como los de un sabueso: suaves y un poco caídos, sabios y tal vez un poco tristes.

—Sabes, he estado en el negocio de la música por mucho tiempo, y me he dado cuenta de que la forma más rápida de fallar como artista es no siendo tú mismo —dijo—. Debes ser auténtica en todo lo que hagas, siempre. Eso es una verdad en la vida, pero especialmente en el escenario. Si haces algo con lo que no te sientes cómoda, el público se dará cuenta.

—Estoy de acuerdo —dije. Me gustaba que estuviera hablando conmigo.

—Tenney, ¿por qué te gusta escribir canciones? —preguntó.

Pensé por un segundo.

—Porque puedo expresar lo que siento —dije—, y me gusta cantar mis canciones.

—¿Y por qué te gusta cantarlas?

—Porque me gusta que la gente se pueda identificar con lo que dice mi música —respondí.

Zane Cale asintió nuevamente. Asintió por tanto tiempo que me pregunté si había dicho algo incorrecto.

—Tenney, creo que tienes mucho talento como compositora y como cantante —dijo finalmente—. Tienes una voz increíble y una presencia fuerte en el escenario, pero también eres muy joven. Probablemente por eso te pones nerviosa.

—Tenney ha tocado con nuestra banda familiar por bastante tiempo —dijo Papá.

Zane asintió. Sus estaban fijos en los míos. Luego se inclinó y me dijo de forma muy sincera:

—Tenney, estuviste muy bien, pero necesito que te apoderes del escenario todo el tiempo. No creo que estés lista para un contrato.

—Oh... —dije con voz temblorosa.

Nos quedamos en silencio por un rato. Esperé a que Zane dijera algo más, pero no lo hizo. No podía verlo a los ojos, entonces miré a Mamá. Su mirada estaba llena de furia.

—Pudo habernos dicho eso en el Bluebird —dijo Mamá—, y no hubiera emocionado a Tenney.

Zane parecía desconcertado. Me vio y dijo:

—Tenney, quieres tener una carrera musical ¿verdad?

—Sí —dije.

—Ellie me pidió que te escuchara y pensara en tu potencial, y eso hice. Me quise reunir contigo para compartirte mi opinión. Lo mejor para cualquiera en este negocio, es escuchar opiniones sinceras —continuó—. Creo que tienes potencial para convertirte en músico profesional, Tenney, pero todavía no estás lista, ¿me entiendes?

Asentí. Escuchar eso me hizo sentir mejor.

—Gracias por tomarse el tiempo para hablar conmigo, Señor Cale —dije sentándome un poco más derecha.

—No hay problema —dijo Zane Cale y me guiñó uno de sus ojos de sabueso.

El camino a casa fue largo. Mis padres intentaban romper el silencio para hacerme sentir mejor.

—Un contrato no es algo que Mockingbird considere darle a alguien de tu edad, al parecer —dijo Papá.

—Cierto —dijo Mamá.

Luego ambos hablaron del buen trabajo que hice. Finalmente les dije que ya no me afectaba, pero estoy segura de que no me creyeron.

Cuando llegamos a casa, Mason nos estaba esperando. Empezó a preguntar qué había pasado, pero Mamá lo calló. Ver cómo la expresión de Mason cambiaba de emoción a tristeza, me hizo sentir peor.

—Estoy muy cansada —dije—. Voy arriba.

En la habitación, Aubrey ya estaba dormida pero Waylon estaba en el pie de mi cama esperándome. Me senté a oscuras y lo abracé. Me sentía devastada.

Cuando salí al pasillo para irme a lavar los dientes, vi a Mamá. Estaba parada en la entrada de su cuarto.

—Oye —dijo suavemente—, ¿estás bien?

Me encogí de hombros, sentí que mis labios temblaban anunciando la llegada de las lágrimas.

—Sé que no me debería sentir mal —dije—, pero me siento como si hubiera fracasado.

—No fracasaste —dijo Mamá con voz firme—. Fuiste muy valiente al subirte sola a ese escenario. Además, eres muy buena, cariño.

Me abrazo y me di cuenta de que nunca antes había necesitado tanto un abrazo. Mientras la abrazaba fuerte, las lágrimas se deslizaron por mis mejillas.

—Puedes seguir tocando, sin importar lo que pase —dijo Mamá—. Lo más importante es seguir intentándolo.

Sabía que tenía razón, pero mi corazón estaba tan triste que no quería pensar en volver a tocar.

UN NUEVO DEBUT

Capítulo 18

Durante toda la semana, mi familia me trató con mucho cuidado. Mamá me hizo más panquecitos de mora azul, Papá me dio una plumilla nueva y Aubrey siempre me decía lo linda que me veía. Parecía como si me hubiera caído un rayo, y todos tuvieran miedo de electrocutarse si se acercaban demasiado a mí. Sé que trataban de hacerme sentir mejor, pero eso solo me hacía recordar lo que pasó.

Para no pensar en el show, me concentré en la tarea y en preparar todo con el comité de la kermés después de clases. Ayudé a armar los puestos, a pintar pancartas y a atar las pacas donde se sentaría la gente. Mi mente estaba en silencio; no escuchaba música ni pensaba en letras de canciones como antes. No me sentía yo misma y no tenía ganas de volver a tocar. El problema era que ya me había inscrito para tocar en la kermés.

Decidí decirle a Miss Carter que ya no quería tocar.

—¿Estás segura? —me preguntó frunciendo el ceño.

No estaba completamente segura, pero asentí.

—Está bien —me dijo—. Encontraré a alguien que tome tu lugar.

La mañana de la kermés, mis padres nos ayudaron a llevar todo desde el gimnasio de la escuela hasta el asilo de ancianos. El comité de la kermés se separó y comenzamos a poner los puestos. Estaba pegando hojas de colores en unas ventanas, cuando escuché mi nombre. Giré y vi a Portia caminando hacia donde yo estaba, recargada en su bastón.

—¡Ahí estás! —dijo— Te he estado buscando. No pudimos hablar después del show en Bluebird.

—Cierto —le dije. Sentí que ya habían pasado años desde el show.

—Lo hiciste muy bien en cuanto encontraste tu ritmo —dijo Portia—. Cada parte de la canción fue tan buena como la recordaba. Me alegra que hayas tomado mi consejo para el puente.

—Gracias —dije.

—Zane me dijo que estabas muy desilusionada porque no te había contratado —Portia hizo una pausa esperando que le contestara, pero sólo me quedé mirando al piso dándole a entender que no quería hablar de eso. Ella entendió y cambió el tema.

—¿Entonces? ¿Practicaste para esta fiesta? —preguntó Portia señalando la esquina del patio donde algunos padres estaban armando el escenario de la kermés.

Negué con la cabeza.

—No voy a cantar hoy— dije sintiendo un poco de arrepentimiento.

Portia me miró como si le hubiera dicho que me iba a vivir a Marte.

Antes de que pudiera decir algo, continué.

—Le dije a Miss Carter que le diera mi lugar a alguien que realmente quisiera participar.

Portia hizo una mueca. Pensé que iba a tratar

de convencerme para que tocara. Pero sólo asintió.

—¿Me disculpas un minuto? —dijo después de un silencio incómodo— Necesito saludar a alguien.

Fui a ver a Jaya, feliz porque ya se habían terminado las preguntas incómodas El patio estaba lleno de actividades. Alrededor del escenario ya habían instalado los puestos con juegos, comida y artesanías. Un puesto rosa invitaba a los asistentes a tomar un poco de té: *¡PREPARA TU PROPIO TÉ DULCE!* Y a contra esquina estaba la larga mesa de la venta de pasteles, llena de delicias. Alrededor de las puertas del patio, había árboles hechos de papel maché con flores de servilletas formando un *gazebo*. Desde el tubo de la palapa principal colgaban cuerdas con luces, creando un toldo brillante. Rodeada de tanta emoción, era muy difícil estar de malas. Trabajar para la kermés me había hecho sentir parte de algo más grande que yo. Ahora verla armada y a mi alrededor, me llenaba de orgullo por mi escuela y mi comunidad.

Vi a Jaya en una esquina armando un puesto junto a Frank. Usaban mandiles de arcoíris y estaban rodeados de sacos de papel de colores y una reluciente impresora. Mientras me acercaba, Jaya levantó de la imprenta un colorido póster de la kermés y lo puso en el tendedero para que se secara.

—¡Lindo póster! —dije emocionada.

—¡Gracias! —dijo Jaya— ¿Quieres ver cómo los hacemos?

Jaya me enseñó a poner la pintura en las letras de madera tallada dentro de la imprenta. Después colocó un papel sobre las letras y deslizó la barra para presionar el papel contra la tinta. Para cuando se secó mi póster, ya habían abierto las puertas de la escuela y la gente estaba entrando.

Vi a mi familia y agité los brazos para que me vieran.

Aubrey casi lloraba de la emoción.

—¡Tienen pintacaras! ¡Y también un castillo inflable! —gritó jalando a Papá y a Mason.

Mamá se rió y me abrazó.

—¿Quieres presentarme a Portia de quien tanto me has hablado?

Llevé a Mamá a la mesa de la venta de pasteles, pero no encontré a Portia entre los voluntarios.

—Qué lindo escenario —dijo Mamá señalando una gran plataforma circular que estaba frente a nosotras— Es una lástima que hayas decidido que no cantar.

—Sí —dije mientras mis ojos se fijaban en el escenario. Después de un rato vi a Miss Carter y a Portia saliendo detrás de una bocina alta.

Tomé a Mamá del brazo y la llevé hasta allá.

—Pensé que nos veríamos en la mesa de los pasteles —dije mientras me acercaba.

—Se me ocurrió una mejor idea —dijo Portia girándose para mostrarme la guitarra en su espalda.

—¿Va a tocar? —dije sorprendida.

Portia asintió.

—Tocaré unas cuantas canciones —dijo.

Mamá veía a Portia con una mirada de extrañeza. Me di cuenta de que había olvidado presentarlas.

—Mamá, ella es mi compañera, Portia —dije.

—¡Oh, wow! —dijo Mamá, sonrojada. Se veía muy nerviosa y no era típico en ella— Soy una gran admiradora de su música, Señora Burns.

Arrugué mi nariz, confundida.

—¿Qué quieres decir con admiradora? —pregunté.

—Ella es Patty Burns, cariño —dijo Mamá—. Es una extraordinaria cantante y compositora.

Negué con la cabeza.

—No, Mamá. Se llama Portia.

Portia se rio.

—Mis amigos me llaman Portia, pero mi nombre artístico es Patty.

Mamá tomó la mano de Portia.

—Cuando tenía dieciocho fui a un concierto suyo en el Ryman. ¡Lo recuerdo como si hubiera sido ayer!

—También yo —dijo Portia con una risita.

—Espere, ¿usted tocó en el Ryman? —dije sorprendida.

—Un par de veces —dijo Portia.

—Cariño, ella escribió 'Florece Abril' —dijo Mamá.

—¡No puede ser! —dije dándome cuenta de que todo este tiempo había estado hablando con la compositora mi canción favorita.

De pronto me sonrojé al recordar que le había dicho a Portia que debía practicar más.

—¿Por qué no me dijo quién era? —pregunté.

Portia agitó una mano.

—No era importante —dijo—. Pero me alegra que ya lo sepas, así por fin podré darte las gracias.

—¿Darme las gracias? ¿Por qué?

—Si no hubiera sido por ti, seguiría sentada en esa esquina, sintiéndome desdichada —dijo—. Me ayudaste a recordar por qué adoro la música.

—¿Lo hice? —sentía que mis mejillas rojas.

—Así es señorita —Portia respondió—. Es la primera vez, en mucho tiempo, que conozco a alguien que ama la música tanto como yo. Es por eso que cuando me dijiste que no ibas a tocar, le dije a Miss Carter que quería tomar tu lugar —se detuvo y me sonrió tímidamente—. Espero que puedas ayudarme en el escenario.

Me tomó un segundo entender lo que realmente acababa de decir.

—¿Ayudarla? ¿Ahora?

—Bueno, en unos veinte minutos —dijo Portia sonriendo—. Miss Carter dijo que no tienes que ayudar en la venta de pasteles si subes conmigo. Claro, si tu mamá está de acuerdo.

—Es decisión de Tenney —contestó Mamá, con sus ojos llenos de orgullo.

—¿Qué dices? —me preguntó Portia.

—¡Sí! —dije. Sentía que estallaba de felicidad.

—¡Deberías cantar una canción de Belle Starr! —dijo Aubrey, parada de puntitas detrás de Mamá.

Faltaban sólo unos minutos para subir al escenario junto a Portia. Mamá me estaba ayudando a arreglarme en el baño de mujeres.

—Creo que ya hemos escuchado demasiado de Belle Starr —Mamá bromeó. Enroscó a mi cabello hacia un lado, lo detuvo con un pasador y dio un paso atrás—. ¿Qué te parece? —preguntó.

Miré al espejo. Mi peinado era sencillo pero lindo. Me di cuenta de que estaba usando la misma ropa que había usado en el show, pero esta vez no me sentía incomoda. Al saber que Portia estaría conmigo en el escenario, no me sentía tan nerviosa como en el show.

Portia me estaba esperando a un lado del

escenario con Papá y Mason, quien había corrido a casa para traer mi guitarra. Mientras afinábamos nuestras guitarras juntas, miré el lugar. Había llegado más gente a la kermés. La banda de *folk* que había tocado antes, estaba bajando del escenario, y una gran multitud los aplaudió.

—¿Estás lista, Tenney? —Portia preguntó.

Asentí. Me sentía un poco nerviosa, pero no pude evitar sonreír cuando Miss Carter se subió al escenario y le agradeció a todos por haber asistido a la kermés.

—Somos muy afortunados de que una eminencia de la música haya aceptado cerrar nuestro show de hoy —dijo mientras veía a Portia—. Y tiene una invitada de último minuto; una de nuestras estudiantes más talentosas: ¡Tenney Grant!

La gente comenzó a aplaudir en cuanto Portia apareció en el escenario.

—¡Esperen! —dijo en el micrófono— Todavía no hemos empezado a tocar —el público soltó una risa y Portia agregó—: Voy a dejar que Tenney empiece —me guiñó el ojo y se hizo a un lado.

Me acerqué al micrófono, y vi miles de caras

que me sonreían bajo la luz del sol.

—Soy Tenney Grant —dije—, y esta canción es para mi mamá.

Tomé aire y empecé. Mis dedos volaban por los trastes de mi guitarra tocando la introducción.

«*Estoy plantada en la tierra* —comencé— *como una semilla que se aferra...*»

Sentía como si mi corazón volara. En lugar de perderme en la canción como lo hacía cuando estaba nerviosa, miré al público. Estaba tan segura de que mi canción era buena, que ahora podía concentrarme en crear una conexión con el público. Se movían y aplaudían al ritmo de la música. Y en el último coro, ¡ya estaban cantando conmigo!

Tan pronto toqué los últimos acordes, la gente estalló en aplausos.

—Gracias —dije en el micrófono—. Y ahora déjenme presentarles a ¡Patty Burns!

El público aplaudió mientras Portia se acercaba al micrófono.

—Voy a pedirle a Tenney que cante esta canción conmigo—dijo.

Mire a Portia sorprendida. No habíamos ensayado. ¿Cómo iba a cantar con ella si ni siquiera sabía qué íbamos a cantar?

Me miró calmadamente, y comenzó a tocar. Desde las primeras notas supe qué canción era. Mientras me unía, nuestras guitarras se mezclaron para darle vida a mi canción favorita: 'Florece Abril'.

«En abril la lluvia cayó —cantó Portia— *y tu amor se llevó»*. Me uní en la armonía. *«En abril la lluvia cayó, y mi orgullo se llevó. Perdí tu corazón en la tormenta, pensé que mi muerte sería lenta»*.

Mientras cantábamos juntas, el público empezó a cantar con nosotras. Miré al público y vi a Mamá y Papá sonriéndome. Me dejé llevar por la música. Cuando terminó la canción, la gente comenzó a gritar.

—Creo que no estoy tan desgastada, después de todo —me susurró Portia, y las dos hicimos una reverencia.

SÓLO EL PRINCIPIO

Capítulo 19

El lunes cuando me desperté, sentía como si hubiera dormido cien años. Ahora que ya habíamos hecho la kermés, podía relajarme. Sonreí durante todo el desayuno y el camino a la escuela, pensando en mi presentación.

"No puedo esperar para volver a hacer una presentación", pensé mientras caminaba por el pasillo hasta mi casillero. "Tal vez debería preguntarle a Portia si quería tocar conmigo otra vez..."

De repente escuché susurros detrás de mí. En el pasillo, un grupito de niñas de octavo me veían por encima de sus carpetas hablando nerviosamente. En cuanto notaron que me quedé viéndolas, se callaron. "¿Estaban hablando de mí?" Mi espalda se puso rígida y abrí mi casillero, fingiendo que no las veía. Una chica alta con el cabello rubio y rizado se acercó.

—¿Disculpa? — me dijo.

Volteé abrazando mi libro de texto como si fuera un escudo.

—¿Sí?

—Estuviste increíble en la kermés —dijo. En su voz se sentía la emoción— Tu canción es muy linda.

Sentí cómo mis mejillas se ponían rojas.

—Wow, gracias —le dije.

Las otras chicas se acercaron.

—¿Dónde puedo comprar tus canciones? —me preguntó una— ¿Están en Internet?

—¿Cuándo te vuelves a presentar? —me preguntó otra niña.

—Mmm... no lo sé —dije torpemente. De hecho todavía no he grabado ninguna canción.

—Todavía —dijo la chica pelirroja, sonriendo—. Me encanta 'Alcanzar el Cielo' —continuó—. ¡Ayer vi el video como como mil veces! ¡Ya hasta me sé la letra!

Las otras chicas asintieron y todas comenzaron a hablar al mismo tiempo.

Me sonrojé, orgullosa, pero luego reaccioné.

—¿Cuál video? —pregunté confundida.

—El de la kermés —contestó la chica pelirroja— Está en Internet. ¿No lo has visto?

Negué con la cabeza.

—Tienes que ver el video —dijo la chica de las trenzas— ¡Todos hablan de eso!

Los siguientes minutos fueron borrosos. Corrí hasta el salón de Miss Carter y encontré a Jaya en su pupitre. Ella tampoco había visto el video, pero teníamos unos minutos antes de que empezara la clase, así que pedimos permiso para usar la sala de cómputo.

—Busca 'Tenney Grant' y 'kermés de Magnolia Hills' —dijo Jaya mientras yo tecleaba.

El video apareció congelado en un cuadro donde me veía yo con mi guitarra.

—¡Aquí esta! —dije.

Jaya se recargó en mi hombro y leyó la descripción.

—La próxima estrella de la música compartiendo escenario con la leyenda del rock-country; Patty Burns.

Hice clic en la liga del video, que empezaba conmigo cantando 'Alcanzar el Cielo'. Era un poco borroso, pero el audio era bueno.

—¡Tenney! —exclamó Jaya— ¡Mira cuántas personas lo han visto!

Mi respiración se detuvo cuando vi el contador de visitas, ¡más de 10,000 personas habían visto mi video!

Después leímos los comentarios.

—Esta persona dice que tienes una voz increíble —dijo Jaya señalando la pantalla— Y esta dice «Ya quiero comprar su disco. ¿Cuándo sale?»

—¡Esto es una locura! —exclamé.

—No, —dijo Jaya saltando en su silla— ¡esto es sólo el principio!

Durante el resto del día hice todo lo posible por concentrarme en las clases, pero en cuanto sonó la campana, salí corriendo hasta la puerta. Mason me estaba esperando en el asta.

—Mason, ¿tienes tu celular? —le pregunté sin aliento. Le conté del video y de inmediato lo buscó en su celular.

—¡Cielos! —dijo mirando la pantalla— Tenney, tienes ¡15,000 reproducciones!

Avanzamos rápidamente a través de la intersec-

ción de Five Points hasta la tienda de Papá. Estaba a punto de entrar para contarle sobre el video, pero me detuve cuando vi a través de la vitrina. Adentro, cerca de la caja registradora, Zane Cale estaba hablando con Papá.

—¿Qué está haciendo aquí? —dijo Mason recargándose en mi hombro.

—No sé.

Entramos, y Zane me saludó levantando su sombrero *pork pie* como un caballero.

—Hola, Zane —dije tratando de actuar relajadamente.

—Tenney —contestó.

—El Señor Cale vino a hablar contigo —dijo Papá. Sus ojos brillaban con emoción.

—Vine a decirte que estuviste increíble en el show de la kermés —dijo Zane.

—Yo no... sabía que había ido —dije confundida.

—¡Claro que fui! —dijo Zane— Conozco a Portia Burns desde hace mucho tiempo. Cuando me dijo que iba a tocar por primera vez desde la embolia que sufrió, fui a apoyarla. Verte ahí fue algo inesperado —dijo viéndome fijamente—. La última vez que hablamos me dijiste que para ti era muy importante ser tú misma. Y esta vez lo noté. Dominaste el escenario y te conectaste con el público de una forma que no vi en el show. Tienes una pasión y una fuerza que me dejaron sorprendido.

—Gracias —le dije.

—Cuando te vi en la kermés, me di cuenta de que sólo es cuestión de tiempo para que alguien más "te descubra". Así que antes de que eso suceda, me gustaría hacer un trato contigo.

¡Bum! En ese momento sentí como si mi corazón se hubiera detenido.

—No puedo ofrecerte un contrato en este momento —continuó—, creo que todavía necesitas crecer como artista. Sin embargo, de vez en cuando ayudo a los cantautores a perfeccionarse. Les doy consejos, los ayudo a conseguir presentaciones y los guío con su música. Cuando están listos, produzco su disco. Quisiera hacer eso contigo, como tu representante. Eso, si estas interesada.

Mason frunció el ceño y cruzó los brazos.

—Es gracioso que ahora que el video se hizo viral, quiera contratar a Tenney —dijo.

—¿Qué video? —preguntó Papá. Zane también se veía confundido.

Mason les enseñó el video en su celular.

—¡19,000 reproducciones! —me susurró.

—Bueno, ese sí que es un gran logro —dijo Zane—. Pero no es por eso que estoy aquí. No trabajo con las personas porque sus videos se hagan virales. Trabajo con ellas porque creo en ellas. No quiero convertirte en la próxima Belle Starr. No debes ser alguien más, sólo sé Tenney Grant. Tu música necesita reflejar lo que eres. Eso es algo que toma tiempo, pero es la única forma de construir una carrera larga y duradera —se puso su sombrero y me vio directamente a los ojos—. ¿Entonces, qué piensas? ¿Quieres trabajar conmigo?

Dudé. Me agradaba Zane y sentía que decía la verdad sobre ayudarme a crecer como artista, pero recordé lo que le había pasado a Mamá. Confió en alguien del negocio de la música... y le robaron sus canciones.

—Tengo que pensarlo —dije.

★ ★

SÓLO EL PRINCIPIO

Después de la cena, Aubrey se sentó en la esquina de la cocina con su computadora y revisó el número de reproducciones.

—¡21,341! —anunció.

Mason enjuagó un plato y me lo pasó para que lo pusiera en la lavavajillas.

—¡No puedo creer que le dijeras a Zane que ibas a pensarlo! —dijo.

Es una decisión importante —le dije mirando a Mamá.

Ella no había dicho mucho. ¿Estaría pensando en decirme que no podía trabajar con Zane? Pensé en cómo había perdido todas sus canciones sin siquiera saber qué estaba pasando. Me di cuenta de que eso me rompería el corazón Si me decía que no podía trabajar con Zane, sabía que era porque no quería que me lastimaran.

Pero no podía soportar la idea de decirle que no a Zane. Necesitaba disfrutar un poco más de la emoción que sentía por la oferta y por todas las posibilidades que podía traer.

—Voy a tomar un poco de aire —dije.

Tomé mi guitarra y mi diario de canciones y

me senté en el pórtico con Waylon. Al principio no podía concentrarme con Aubrey diciendo el número de reproducciones de mi video cada diez segundos. Después de un rato, su voz se mezcló con el sonido de los grillos en una especie de música extraña.

Recorrí las páginas de mi diario, y leí las primeras canciones que había escrito cuando tenía diez años: la que hablaba de Waylon y una que hablaba de la Navidad. Aunque eran canciones sencillas, utilicé muchas páginas para lograr las rimas y la letra, hasta que por fin encontré algo que funcionaba. A medida que crecía, escribía canciones más largas y elegía las palabras con más cuidado. Cuando llegué a la página donde había escrito la letra de 'Alcanzar el Cielo' pude ver cuánto había avanzado. Pero sabía que tenía un largo camino por recorrer.

El pórtico crujió detrás de mí. Levanté la mirada y vi a Mamá salir de la cocina.

—Hola —dijo sentándose a mi lado.

—Hola —respondí, y respiré profundo.

—¿Estás bien? —preguntó.

—No lo sé —dije susurrando—. Quiero trabajar con Zane, pero tengo miedo de que digas que no, y lo entendería. Trabajaste con un productor y fue horrible...

—Tenney —dijo Mamá tomando mi mano—, esto no se trata de mi pasado, sino de tu futuro. Papá y yo nunca dejaríamos que alguien se aprovechara de ti o de tu música. Lo más importante es que te sientas bien contigo misma y que nunca dejes de hacer lo que realmente amas.

Se detuvo, sus ojos estaban llenos de lágrimas. Me tranquilicé y me preparé para la mala noticia.

—Si quieres trabajar con Zane, tu papá y yo prometemos apoyarte —dijo.

Respiré profundo.

—¿Es decir que la decisión es mía?

Mamá sonrió.

—Sí, pero si alguna vez no te gusta la dirección que le está dando a tu música, puedes detenerte. Siempre podrás decidir, tu papá se va a asegurar de eso. ¿Está bien?

Asentí y la abracé. Abrazarla me hacía sentir a salvo. Sabía que podía contar con ella.

—¿Qué pasa si lo intento y Zane decide que no

soy lo suficientemente buena?

—¿Suficientemente buena para qué? —preguntó Mamá.

—Para grabar un disco —dije.

—¿Y eso qué? Mientras creas en ti misma, podrás seguir haciendo música. Si hacer música es algo que realmente quieres hacer, no lo dejarás. Y sabes que sin importar lo que suceda, estamos orgullosos de ti, ¿cierto?

—Cierto —respondí—. Gracias, Mamá.

Mamá besó mi frente y volvió adentro.

Miré las estrellas que brillaban en la oscuridad de la noche. Me sentía como una de esas estrellas, volando más alto de lo que me había imaginado, brillando con todas mis fuerzas.

"Recuerda este sentimiento", me dije. "Servirá para una buena canción".

LETRA DE LA CANCIÓN

Alcanzar el Cielo

por Leah Bryan y Hannah Fisher

Estoy plantada en la tierra
Como una semilla que se aferra
Algún día estarás orgullosa de mí
Creceré firme junto a ti
¿A crecer me enseñarás?

Coro:
Seré yo misma, no más
Alcanzar el cielo es mi gran sueño

Soy joven, lo sé
Bajo tus alas me protegeré
Pero algún día creceré
Y libre volaré
¿A cantar me enseñarás?

★ ★

Seré yo misma, no más
Alcanzar el cielo es mi gran sueño

Puente:
Sé que me quieres resguardar
En la seguridad de nuestro hogar
Pero mis sueños quiero cumplir
No te puedo mentir

Seré yo misma, no más
Alcanzar el cielo es mi gran sueño

ACERCA DE LAS COMPOSITORAS

Las hermanas Leah y Hannah Fisher crecieron a las afueras de Nashville, y siempre estuvieron rodeadas de buena música y cantautores talentosos. Al igual que Tenney, nacieron en una familia de músicos y se presentaban juntos en eventos de la comunidad.

Su gran oportunidad llegó en el año 2000 cuando el grupo llamado The Peasall Sisters; compuesto por las hermanas Leah, Hannah y Sarah, fue invitado a grabar para la banda sonora de *¿Dónde estás, hermano?* El álbum fue todo un éxito, y con tan sólo once y ocho años respectivamente, Leah y Hannah se convirtieron en las personas más jóvenes en ganar un Grammy. Luego los ocho miembros de la familia se embarcaron en una exitosa gira de diez años. «Fue divertido y nos encantó —dijo Hanna recordando el tour—, pero realmente fue mucho trabajo».

Ahora que están en los veintes, todavía disfrutan presentarse con su familia. Dicen que han tocado juntos desde hace tanto tiempo que con sólo mirarse, pueden saber qué es lo que van a tocar después.

★ ★

Leah y Hannah cantan 'Alcanzar el Cielo' en el Café Bluebird de Nashville.

Esta conexión familiar fue de gran ayuda cuando Leah y Hannah compusieron 'Alcanzar el Cielo', ya que vivían separadas ¡por más de 800 kilómetros! Crearon la canción enviándose mensajes de texto con la letra y clips de audio con la melodía.

Inspiradas por la historia de Tenney y por su propia experiencia como jóvenes músicos, escribieron una letra sobre la importancia de mantenerse fiel a uno mismo. Leah le da este consejo a las jóvenes compositoras como Tenney: «No hay nadie más como tú. Sé tú misma y no te preocupes por lo demás. La buena música siempre encuentra la forma de salir, sólo que no siempre es de la forma que tú piensas».

AGRADECIMIENTOS ESPECIALES

Agradezco especialmente a la asesora de manuscritos Erika Wollam Nichols por su percepción y conocimiento de la industria musical de Nashville; a la directora musical Denise Stiff por guiar el desarrollo de la canción; a las compositoras Leah Bryan y Hannah Fisher por ayudar a Tenney a encontrar su voz; y a Taylor Guitars por darle a Tenney la guitarra de sus sueños.

SOBRE LA AUTORA.

Cuando era una joven lectora, Kellen Hertz amaba las historias del Mago de Oz de L. Frank Baum. Pero ya que el puesto de Princesa de Oz estaba ocupado, decidió convertirse en escritora. 'Alas', su primera novela sin terminar, se perdió en un mar de libros en el piso de su habitación, lo que la forzó a buscar otro empleo. Desde ese entonces, Kellen ha trabajado como guionista, productora, vendedora de libros y personal del congreso. Su regreso triunfal como novelista fue junto a Lisa Yee, cuando escribieron *Lea y Camila*, antes de sumergirse en la serie de Tenney para American Girl.

Kellen vive con su esposo y su hijo en Los Ángeles.

¿QUIERES SABER MÁS?

VISITA

americangirl.com

Tenney te espera con

LIBROS, APPS,

JUEGOS, TESTS,

actividades

¡Y MÁS SORPRESAS!